Para

com votos de paz.

Divaldo Pereira Franco
Pelo Espírito Joanna de Ângelis

Autodescobrimento:
Uma Busca Interior

Série Psicológica Joanna de Ângelis
Vol. 6

Salvador
19. ed. – 2025

COPYRIGHT © (1995)
CENTRO ESPÍRITA CAMINHO DA REDENÇÃO
Rua Jayme Vieira Lima, 104
Pau da Lima, Salvador, BA.
CEP 412350-000
SITE: https://mansaodocaminho.com.br
EDIÇÃO: 19. ed. (12ª reimpressão) – 2025
TIRAGEM: 3.000 exemplares (milheiro: 128.500)
COORDENAÇÃO EDITORIAL
Lívia Maria C. Sousa

REVISÃO
Maíra Loiola · Plotino da Matta
CAPA
Cláudio Urpia
MONTAGEM DE CAPA
Ailton Bosco
EDITORAÇÃO ELETRÔNICA
Lívia Maria C. Sousa
COEDIÇÃO E PUBLICAÇÃO
Instituto Beneficente Boa Nova

PRODUÇÃO GRÁFICA
LIVRARIA ESPÍRITA ALVORADA EDITORA – LEAL
E-mail: editora.leal@cecr.com.br

DISTRIBUIÇÃO
INSTITUTO BENEFICENTE BOA NOVA
Av. Porto Ferreira, 1031, Parque Iracema. CEP 15809-020
Catanduva-SP.
Contatos: (17) 3531-4444 | (17) 99777-7413 (WhatsApp)
E-mail: boanova@boanova.net
Vendas on-line: https://www.livrarialeal.com.br

Dados Internacionais de Catalogação na Publicação (CIP)
(Catalogação na fonte)
BIBLIOTECA JOANNA DE ÂNGELIS

F825	FRANCO, Divaldo Pereira. (1927) *Autodescobrimento: uma busca interior*. 19. ed. / Pelo Espírito Joanna de Ângelis [psicografado por] Divaldo Pereira Franco. Salvador: LEAL, 2025. (Série Psicológica, volume 6) 168 p. ISBN: 978-85-61879-74-7 1. Espiritismo 2. Psicografia 3. Autodescobrimento I. Franco, Divaldo II. Título CDD: 133.93

Bibliotecária responsável: Maria Suely de Castro Martins – CRB-5/509

DIREITOS RESERVADOS: todos os direitos de reprodução, cópia, comunicação ao público e exploração econômica desta obra estão reservados, única e exclusivamente, para o Centro Espírita Caminho da Redenção. Proibida a sua reprodução parcial ou total, por qualquer meio, sem expressa autorização, nos termos da Lei 9.610/98.
Impresso no Brasil | Presita en Brazilo

SÚMULA

Autodescobrimento: uma busca interior	7
1. O SER REAL	13
Complexidades da energia	13
Interação Espírito-matéria	17
Problemas da evolução	23
2. EQUIPAMENTOS EXISTENCIAIS	27
O pensamento	27
Conflitos e doenças	31
Distonias e suas consequências	35
O ser emocional	38
3. CONSCIÊNCIA E VIDA	43
Incursão na consciência	43
Consciência responsável	46
Consciência e sofrimento	49
Exame do sofrimento	53
4. O INCONSCIENTE E A VIDA	59
O inconsciente	59
O subconsciente	61
O inconsciente sagrado	62
5. VIAGEM INTERIOR	65
Busca da unidade	65
Realidade e ilusão	69
Força criadora	72
6. EQUILÍBRIO E SAÚDE	77
Programa de saúde	77
Transtornos comportamentais	81

Terapia da esperança	84
Plenitude! – A meta	87

7. O SER SUBCONSCIENTE — 91
Computação cerebral	91
Reciclagem do subconsciente	95
Subconsciente e sonhos	97

8. SICÁRIOS DA ALMA — 103
O passado	103
Incerteza do futuro	106
Desconhecimento de si mesmo	110

9. VICIAÇÕES MENTAIS — 113
Insatisfação	113
Indiferença	116
Pânico	119
Medo da morte	123

10. CONTEÚDOS PERTURBADORES — 127
A raiva	127
O ressentimento	131
Lamentação	134
Perda pela morte	136
Amargura	138

11. OS SENTIMENTOS: AMIGOS OU ADVERSÁRIOS? — 141
O amor	141
Os sofrimentos	144
Estar e ser	147
Abnegação e humildade	150

12. TRIUNFO SOBRE O *EGO* — 155
Infância psicológica	155
Conquista do Si	159
Libertação pessoal	163

AUTODESCOBRIMENTO:
UMA BUSCA INTERIOR

Muito antes da valiosa contribuição dos psiquiatras e psicólogos humanistas e transpessoais, quais Kübler Ross, Grof, Raymond Moody Júnior, Maslow, Tart, Viktor Frankl, Coleman e outros, que colocaram a alma como base dos fenômenos humanos, a Psicologia Espírita demonstrou que, sem uma visão espiritual da existência física, a própria vida permaneceria sem sentido ou significado.

O reducionismo, em Psicologia, torna o ser humano um amontoado de células sob o comando do sistema nervoso central, vitimado pelos fatores da hereditariedade e pelos caprichos aberrantes do acaso.

A saúde e a doença, a felicidade e a desdita, a genialidade e as patologias mentais, limitadoras e cruéis, não passam de ocorrências estúpidas da eventualidade genética.

Assim considerado, o ser humano começaria na concepção e anular-se-ia na morte, um período muito breve para o trabalho que a Natureza aplicou mais de dois bilhões de anos, aglutinando e aprimorando moléculas que se transformaram em um código biológico fatalista...

Por outro lado, a Engenharia Genética atual, aliando-se à Biologia molecular, começa a detectar a energia como fator cau-

sal para a construção do indivíduo, que passa a ser herdeiro de si mesmo, nos avançados processos das experiências da evolução.

Os conceitos materialistas, desse modo, aferrados ao mecanismo fatalista, cedem lugar a uma concepção espiritualista para a criatura humana, libertando-a das paixões animais e dos atavismos que ainda lhe são predominantes.

Inegavelmente, Freud e Jung ensejaram uma visão mais profunda do ser humano com a descoberta e estudo do inconsciente, assim como dos arquétipos, respectivamente, que permitiram a diversos dos seus discípulos penetrarem a sonda da investigação nos alicerces da mente, constatando a realidade do Espírito, como explicação para os comportamentos variados dos diferentes indivíduos que, procedentes da mesma árvore genética, apresentam-se fisiológica e psicologicamente opostos, bem e maldotados, com equipamentos de saúde e de desconserto.

Não nos atrevemos a negar os fatores hereditários, sociais e familiares na formação da personalidade da criança. No entanto, adimos que eles decorrem de necessidades da evolução, que impõem a reencarnação no lugar adequado, entre aqueles que propiciam os recursos compatíveis para o trabalho de autoiluminação, de crescimento interior.

O lar exerce, sem qualquer dúvida, como ocorre com o ambiente social, significativa influência no ser, cujo ônus será o equilíbrio ou a desordem moral, a harmonia física ou psíquica correspondente ao estágio evolutivo no qual se encontra.

A necessidade, portanto, do autodescobrimento, em uma panorâmica racional, torna-se inadiável, a fim de favorecer a recuperação, quando em estado de desarmonia, ou o crescimento, se portador de valores intrínsecos latentes. Enquanto não se conscientize das próprias possibilidades, o indivíduo aturde-se em conflitos de natureza destrutiva, ou foge espetacu-

larmente para estados depressivos, mergulhando em psicoses de vária ordem, que o dominam e inviabilizam a sua evolução, pelo menos momentaneamente.

A experiência do autodescobrimento faculta-lhe identificar os limites e as dependências, as aspirações verdadeiras e as falsas, os embustes do ego e as imposturas da ilusão.

Remanesce-lhe no comportamento, como herança dos patamares já vencidos pela evolução, a dualidade do negativismo e do positivismo diante das decisões a tomar.

Não identificado com os propósitos da finalidade superior da Vida, quando convidado à libertação dos vícios e paixões perturbadoras, das aflições e tendências destrutivas, essa dualidade do negativo e do positivo desenha-se-lhe no pensamento, dificultando-lhe a decisão. É comum, então, o assalto mental pela dúvida: isto ou aquilo? *A definição faz-se com insegurança e o investimento para a execução do propósito novo diminui ou desaparece em face das contínuas incertezas.*

Fazem-se imprescindíveis alguns requisitos para que seja logrado o autodescobrimento com a finalidade de bem-estar e de logros plenos, a saber: insatisfação pelo que se é, ou se possui, ou como se encontra; desejo sincero de mudança; persistência no tentame; disposição para aceitar-se e vencer-se; capacidade para crescer emocionalmente.

Porque se desconhece, vitimado por heranças ancestrais – de outras reencarnações –, de castrações domésticas, de fobias que prevalecem da infância, pela falta de amadurecimento psicológico e outros, o indivíduo permanece fragilizado, susceptível aos estímulos negativos, por falta da autoestima, do autorrespeito, dominado pelos complexos de inferioridade e pela timidez, refugiando-se na insegurança e padecendo aflições perfeitamente superáveis, que lhe cumpre ultrapassar mediante cuidadoso programa de discernimento dos objetivos da vida e pelo empenho em vivenciá-lo.

Inadvertidamente ou por comodidade, a maioria das pessoas aceita e submete-se ao que poderia mudar a benefício próprio, autopunindo-se, e acreditando merecer o sofrimento e a infelicidade com que se vê a braços, quando o propósito da Divindade para com as suas criaturas é a plenitude, é a perfeição.

Dominado pela conduta infantil dos prêmios e dos castigos, o indivíduo não amadurece o Eu profundo, continuando sob o jugo dos caprichos do ego, confundindo resignação com indiferença pela própria realização espiritual. A resignação deve ser um estado de aceitação da ocorrência – dor sem revolta, porém atuando para erradicá-la.

Liberando-se das imagens errôneas a respeito da vida, o ser deve assumir a realidade do processo da evolução e vencer-se, superando os fatores de perturbação e de destruição.

Ao apresentarmos o nosso livro aos interessados na decifração de si mesmos, tentamos colocar pontes entre os mecanismos das Psicologias Humanista e Transpessoal com a Doutrina Espírita, que as ilumina e completa, assim cooperando de alguma forma com aqueles que se empenham na busca interior, no autodescobrimento.

Não nos facultamos a ilusão de considerar o nosso trabalho mais do que um simples ensaio sobre o assunto, com um elenco amplo de temas coligidos no pensamento dos eméritos estudiosos da alma *e com a nossa contribuição pessoal.*

Uma fagulha pode atear um incêndio.

Um fascículo de luz abre brecha na treva.

Uma gota de bálsamo suaviza a aflição.
Uma palavra sábia guia uma vida.
Um gesto de amor inspira esperança e doa paz.

Esta é uma pequena contribuição que dirigimos aos que sinceramente se buscam, tendo Jesus como Modelo e Terapeuta Superior para os problemas do corpo, da mente e do Espírito.

Rogando escusas pela sua singeleza, permanecemos confiantes nos resultados felizes daqueles que tentarem o autodescobrimento, avançando em paz.

Salvador, 30 de novembro de 1994.
JOANNA DE ÂNGELIS

1
O SER REAL

COMPLEXIDADES DA ENERGIA • INTERAÇÃO ESPÍRITO-
-MATÉRIA • PROBLEMAS DA EVOLUÇÃO

COMPLEXIDADES DA ENERGIA

O conceito atual para a representação do ser humano – Espírito e matéria – experimentou acirrado combate dos racionalistas e organicistas do passado, que o reduziram à condição de unidade corporal, que nascia na concepção fetal e se desintegrava após a anóxia cerebral.

Os debates incessantes, porém, não lograram dissolver as dúvidas que persistiram em torno dos fenômenos paranormais, quando examinada a questão sob outro ponto de vista.

Viagens astrais (desdobramentos), sonhos premonitórios, recordações de experiências passadas, materializações e desmaterializações (ectoplasmias) permaneceram sob suspeição por falta de explicações lógicas dos investigadores apegados a este ou àquele conceito sobre o ser inteligente.

Com a proposta do homem trino – Espírito, perispírito e matéria –, a controvérsia encontrou campo fértil para equações favoráveis à sua existência antes, durante e depois do corpo físico.

Com muita propriedade, Albert Einstein definiu o homem como *um conjunto de partículas regido pela cons-*

ciência. Essa consciência condutora, certamente, a ele preexistente e sobrevivente, é o Si eterno, o Espírito imortal, realizando inúmeras experiências da evolução, trabalhando, em cada uma delas, os valores que lhe jazem interiormente – Deus em nós.

Consequentemente, o indivíduo humano é um agrupamento de energias em diferentes níveis de vibrações.

Essa *energia inteligente,* na sua expressão original, como Espírito, passa por condensação de moléculas, assim constituindo o corpo intermediário (perispírito), que se encarrega de concentrar e *congelar* as partículas, que se manifestam como o corpo somático.

Na gênese da energia pensante, permanecem ínsitos os instintos primários decorrentes das remotas experiências, que se exteriorizam, quando na área da razão, como impulsos, tendências, fixações automatistas e perturbadoras, necessitando de canalização disciplinadora, de modo a torná-los sentimentos, que o raciocínio conduzirá sem danos nem perturbação.

Muitas vezes, o ser, em crescimento interior, sofre os efeitos das energias abundantes de que é objeto e faz um quadro de *congestão,* responsável por vários distúrbios de comportamento como de natureza orgânica, transformando-os em campos enfermiços, que poderiam ser evitados.

Noutras circunstâncias, as energias não eliminadas corretamente, e mantidas sob pressão, expressam-se como *inibição,* igualmente geratriz de outras patologias desassossegadoras.

As doenças, portanto, resultam do uso inadequado das energias, da inconsciência do ser em relação à vida e à sua finalidade.

Autodescobrimento: uma busca interior

À medida que evolui, descobre as possibilidades imensas que tem ao alcance através da vontade bem direcionada, tornando-se capaz de liberar-se da *congestão* ou da *inibição.*

O despertar do Si enseja a compreensão da necessidade de transmudar as energias, encaminhando-as de uma para outra área e utilizando-as de uma forma profícua, único recurso para o gozo da saúde.

De certo modo, elas decorrem dos imperativos da *Lei de Causa e Efeito,* que inscreve nos seres o que se lhes faz necessário para a evolução, seja através dos camartelos do sofrimento ou mediante os impulsos santificados do amor.

A transformação moral, nesse cometimento, é fator preponderante para converter o instinto primitivo em força produtora de novas energias, em vez de fomentar os distúrbios da *congestão* e da *inibição.*

Quando o indivíduo, dominado pelos impulsos da violência, sob rude controle, em tensão contínua, inteiriça os músculos antagônicos, exigindo-lhes demasiada elasticidade, gera atrito das articulações ósseas, às vezes dando origem a várias expressões artríticas, especialmente as de natureza reumatoide...

Conduzir bem essa força é um recurso preventivo para doenças degenerativas, portanto, evitáveis.

Por outro lado, os núcleos vitais (*chackras*) abaixo do diafragma, que não têm as energias transmutadas para a região superior a fim de serem sublimadas, especialmente na zona sacral, produzem doenças do aparelho urinário e genésico, com agravantes no que diz respeito aos relacionamentos sexuais...

Nada se deve perder no organismo. Todas as energias poderão ser canalizadas sob o comando da mente desperta

– o *Eu superior* – para a sua responsabilidade, criatividade e expressão divina, que demonstram sua origem.

O Eu consciente, mediante exercício constante, deve comunicar-se com todas as células que lhe constituem o invólucro material, à semelhança do que faz quando lhe atende alguma parte ou órgão que necessita de tratamento.

Considere-se um corte que dilacere um membro. Pode ser deixado de lado para autorrefazer-se ou receber curativo imediato para a reparação dos tecidos e capilares.

Da mesma forma, a consciência – o Si – deve atender a energia, nas suas diferentes manifestações, rarefeita ou condensada, interferindo com amor e dando-lhe ordens equilibradas para a sua sublimação.

A doença resulta do choque entre a mente e o comportamento, o psíquico e o físico, que interagem somatizando as interferências.

Diante de ocorrências viciosas, de acidentes morais e emocionais, cumpre-se-lhes faça um exame circunstanciado, passando-se à conversação com o departamento afetado, despertando-lhe as potências e liberando-as para o preenchimento das finalidades da vida a que todas as coisas estão submetidas e se destinam.

Conversar, terna e bondosamente, com as imperfeições morais, alterando-lhes o curso; buscar penetrar no intrincado meandro dos conjuntos celulares e envolvê-los em vibrações de amor; estimular os órgãos com deficiência de funcionamento, ou perturbação enfermiça, a que voltem à normalidade, são métodos de comando da energia espiritual do *Eu superior*, interferindo nas complexidades da força mantenedora do perispírito e da matéria, alterando-lhes para melhor a movimentação.

No sentido inverso, a conduta desregrada, os pensamentos violentos, as forças descompensadas do instinto, produzindo *congestão* e *inibição* das energias, dão curso aos atestados de violência, de depressão, de obsessão compulsiva, de degeneração dos tecidos e órgãos que lhes sofrem a corrente contínua deletéria.

A conscientização do ser leva-o a um conhecimento profundo das possibilidades criativas e realizadoras, que trabalham pelo seu e pelo bem da sociedade onde se encontra.

O tropismo da Divina Luz atrai a criatura, que às vezes se esconde nas sombras da inconsciência – ignorância de si –, permanecendo nas faixas inferiores da evolução. No entanto, a força do progresso é Lei da Vida, e assim, pelo desgaste que produz sofrimento, surge o despertar, então a atração poderosa da Plenitude arrasta o ser humano na direção da sua destinação fatal – a perfeição.

Procrastinar o fenômeno da conscientização tem limite, porque, na sua complexidade, a energia, que é vida, constitui-se do Psiquismo Divino, e hoje ou mais tarde, liberta-se das injunções grosseiras que a limitam momentaneamente, sutilizando-se em ondas de amor que se espraiarão no *Oceano* do Amor de Deus.

Interação Espírito-matéria

O ser humano é um conjunto harmônico de energias, constituído de Espírito e matéria, mente e perispírito, emoção e corpo físico, que interagem em fluxo contínuo uns sobre os outros.

Qualquer ocorrência em um deles reflete no seu correspondente, gerando, quando for uma ação perturbadora, distúrbios, que se transformam em doenças, e que, para serem retificados, exigem renovação e reequilíbrio do fulcro onde se originaram.

Desse modo, são muitos os efeitos perniciosos no corpo, causados pelos pensamentos em desalinho, pelas emoções desgovernadas, pela mente pessimista e inquieta na aparelhagem celular.

Determinadas emoções fortes – medo, cólera, agressividade, ciúme – provocam uma alta descarga de adrenalina na corrente sanguínea, graças às glândulas suprarrenais. Por sua vez, essa ação emocional reagindo no físico, nele produz aumento da taxa de açúcar, mais forte contração muscular, em face da volumosa irrigação do sangue e sua capacidade de coagulação mais rápida.

A repetição do fenômeno provoca várias doenças como a diabetes, a artrite, a hipertensão... Assim, cada enfermidade física traz um componente psíquico, emocional ou espiritual correspondente. Em razão da desarmonia entre o Espírito e a matéria, a mente e o perispírito, a emoção (os sentimentos) e o corpo, desajustam-se os núcleos de energia, facultando os processos orgânicos degenerativos provocados por vírus e bactérias, que neles se instalam.

Conscientizar-se dessa realidade é despertar para valores ocultos que, não interpretados, continuam produzindo desequilíbrios e somatizando doenças, como mecanismos degenerativos na organização somática.

Por outro lado, os impulsos primitivos do corpo, não disciplinados, provocam estados ansiosos ou depressivos, sensação de inutilidade, receios ou inquietações que se expressam ciclicamente, e que, em longo prazo, se transformam em neuroses, psicoses, perturbações mentais.

Autodescobrimento: uma busca interior

A harmonia entre o Espírito e a matéria deve viger a favor do equilíbrio do ser, que *desperta* para as atribuições e finalidades elevadas da vida, dando rumo correto e edificante à sua reencarnação.

As enfermidades, sob outro aspecto, podem ser consideradas como processos de purificação, especialmente aquelas de grande porte, as que se alongam quase que indefinidamente, tornando-se mecanismos de sublimação das energias grosseiras que constituem o ser nas suas fases iniciais da evolução.

É imprescindível um constante *renascer* do indivíduo, pelo renovar da sua consciência, aprofundando-se no autodescobrimento, a fim de mais seguramente identificar-se com a realidade e absorvê-la. Esse autodescobrimento faculta uma tranquila avaliação do que ele é, e de como *está*, oferecendo os meios para *torná-lo* melhor, alcançando assim o destino que o aguarda.

De imediato, apresenta-se a necessidade de levar em conta a escala de valores existenciais, a fim de discernir quais aqueles que merecem primazia e os que são secundários, de modo a aplicar o tempo com sabedoria e conseguir resultados favoráveis na construção do futuro.

Essa seleção de objetivos dilui a ilusão – miragem perturbadora elaborada pelo *ego* – e estimula o emergir do Si, que rompe as camadas do inconsciente (ignorância da sua existência) para assumir o comando das suas aspirações.

Podemos dizer que o ser, a partir desse momento, passa a *criar-se a si mesmo* de forma lúcida, desde que, por automatismo, ele o faz através de mecanismos atávicos da Lei de Evolução.

A ação do pensamento sobre o corpo é poderosa, ademais se considerando que este último é o resultado daquele, através das tecelagens intrincadas e delicadas do perispírito (seu modelador biológico), que o elabora mediante a ação do ser espiritual, na reencarnação.

Assim sendo, as forças vivas da mente estão sempre construindo, recompondo, perturbando ou *bombardeando* os campos organogenéticos responsáveis pela geratriz dos caracteres físicos e psicológicos, bem como sobre os núcleos celulares de onde procedem os órgãos e a preservação das formas.

Quanto mais consciente o ser, mais saudáveis os seus equipamentos para o desempenho das relevantes tarefas que lhe estão reservadas. Há exceções, no entanto, que decorrem de livre opção pessoal, com finalidades específicas nas paisagens da sua evolução.

O pensamento salutar e edificante flui pela corrente sanguínea como tônus revigorante das células, passando por todas elas e mantendo-as em harmonia no ritmo das finalidades que lhes dizem respeito. O oposto também ocorre, realizando o mesmo percurso, perturbando o equilíbrio e a sua destinação.

Quando a mente elabora conflitos, ressentimentos, ódios que se prolongam, os dardos reagentes disparados desatrelam as células dos seus automatismos, as quais degeneram, dando origem a tumores de vários tipos, especialmente cancerígenos, em razão da carga mortífera de energia que as agride.

Outras vezes, os anseios insatisfeitos dos sentimentos convergem como forças destruidoras para chamar a atenção nas pessoas que preferem inspirar compaixão, esfacelando a organização celular e a respectiva mitose, facultando o surgimento de focos infecciosos resistentes a toda terapêu-

Autodescobrimento: uma busca interior

tica, por permanecer o centro desencadeador do processo vibrando negativamente contra a saúde.

Vinganças disfarçadas voltam-se contra o organismo físico e mental daquele que as acalenta, produzindo úlceras cruéis e distonias emocionais perniciosas, que empurram o ser para estados desoladores, nos quais se *refugia* inconscientemente satisfeito, embora os protestos externos de perseguir sem êxito o bem-estar, o equilíbrio.

O intercâmbio de correntes vibratórias (mente – corpo, perispírito – emoções, pensamentos – matéria) é ininterrupto, atendendo aos imperativos da vontade, que os direciona conforme seus conflitos ou aspirações.

Ideias não *digeridas* ressurgem em processos enfermiços como mecanismos autopurificadores; angústias cultivadas ressumam como distonias nervosas, enxaquecas, desfalecimentos, camuflando a necessidade de valorização e fuga do interesse do perdão; dispepsias, indigestões, hepatites originam-se no aconchego do ódio, da inveja, da competição malsã – geradora de ansiedade –, do medo, por efeito dos mórbidos conteúdos que agridem o sistema digestivo, alterando-lhe o funcionamento.

O desamor pessoal, os complexos de inferioridade, as mágoas sustentadas pela autopiedade, as contrariedades que resultam dos temperamentos fortes, são fontes de constantes atritos com o organismo, resultando em cânceres de mama, da próstata, taquicardias, disfunções coronarianas, cardíacas, enfartos brutais...

Impetuosidade, violência, queixas sistemáticas, desejos insaciáveis respondem por derrames cerebrais, estados neuróticos, psicoses de perseguição...

O homem é o que acalenta no íntimo. Sua vida mental se expressa na organização emocional e física, dando surgimento aos estados de equilíbrio como de desarmonia pelos quais se movimenta.

A conscientização da responsabilidade imprime-lhe destino feliz, pelo fato de poder compreender a transitoriedade do percurso carnal, com os olhos fitos na imortalidade de onde procede, em que se encontra e para a qual ruma. Ninguém jamais sai da vida.

Adequando-se à saúde e à harmonia, o pensamento, a mente, o corpo, o perispírito, a matéria e as emoções receberão as cargas vibratórias benfazejas, favorecendo-se com a disposição para os empreendimentos idealistas, libertários e grandiosos, que podem ser conseguidos na Terra graças às dádivas da reencarnação.

Assim, portanto, cada um é o que lhe apraz e pelo que se esforça, não sendo facultado a ninguém o direito de queixa, em face do princípio de que todos os indivíduos dispõem dos mesmos recursos, das mesmas oportunidades, que empregam, segundo seu livre-arbítrio, naquilo que realmente lhes interessa e de onde retiram os *proventos* para sua própria sustentação.

Jesus referiu-se ao fato, sintetizando, magistralmente, a Sua receita de felicidade, no seguinte pensamento: – *A cada um será dado segundo as suas obras.*

Assim, portanto, como se semeie, da mesma forma se colherá.

Autodescobrimento: uma busca interior

PROBLEMAS DA EVOLUÇÃO

A semente, portadora de vida, quando colocada para germinação, experimenta a compressão do solo e sua umidade, desenvolvendo os fatores adormecidos e passando a vigorosas transformações celulares. Intumesce-se e, dirigida pela fatalidade biológica, desata a vida sob nova forma, convertendo-se em vegetal, para repetir-se, ininterruptamente, em futuras sínteses...

A criatura humana, de alguma forma fadada à perpetuação da espécie e à sua plenificação, encarna-se, reencarna-se, repetindo as façanhas existenciais até atingir o clímax que a aguarda. Em cada etapa nova remanescem as ocorrências da anterior, em uma cadeia sucessória natural. E através desse mecanismo os êxitos abrem espaços a conquistas mais amplas e complexas, assim como o fracasso em algum comportamento estabelece processos que impõem problemas no desenvolvimento dos cursos que prosseguem adormecidos.

Esmagada pelas *evocações inconscientes* do agravamento da experiência, ou sem elas, a criatura caracteriza-se, psicologicamente, por atitudes de ser *fraco* ou *forte*, segundo James, como decorrência do treinamento na luta a que foi submetida, podendo, bem ou mal, enfrentar os dissabores ou as propostas de crescimento e graças a essa conduta se torna feliz ou atormentada.

Ninguém se encontra isento do patrimônio de si mesmo como resultado dos próprios atos. São eles os responsáveis diretos por todas as ocorrências da marcha evolutiva, o que constitui grande estímulo para o ser, liberando-o dos processos de transferência de responsabilidade para outrem ou para os fatores circunstanciais, sociais, que normalmente são considerados perturbadores.

Mesmo quando os imperativos genéticos insculpem situações orgânicas ou psíquicas constritoras no indivíduo, esses se derivam da conduta pessoal anterior, e devem ser considerados como estímulos ou métodos corretivos, educacionais, a que as Leis da Vida recorrem para o aprimoramento dos seres humanos.

O estado de humanidade já é conquista valiosa no curso da evolução; no entanto, é o passo inicial de nova ordem de valores, aguardando os estímulos para desdobrá-los todos, que jazem adormecidos – *Deus em nós* – para a aquisição da angelitude.

Da insensibilidade inicial à percepção primária, dessa à sensibilidade, ao instinto, à razão, em escala ascendente, o psiquismo evolve, passando à intuição e atingindo níveis elevados de interação com a Mente Cósmica.

Os indivíduos, no entanto, mergulhados no processo do crescimento, raramente se dão conta de que o sofrimento, que é fator de aprimoramento, ainda constitui instrumento de evolução, em se considerando o estágio de humanidade.

Assim posto, o autoconhecimento desempenha relevante papel no adestramento do ser para a sua superação e perfeita sintonia com a paz.

Nesse desiderato, são investidos os mais expressivos recursos psicológicos e morais, de modo a serem alcançadas as metas que se sucedem, patamar a patamar, até alcançarem o nível de libertação interior.

Mediante esse comportamento surgem os problemas, as dificuldades naturais que fazem parte do desempenho pessoal e da sua estruturação psicológica.

Autodescobrimento: uma busca interior

Quando imaturo, o ser lamenta-se, teme e transforma o instrumento de educação em flagelo que o dilacera, tornando-se desventurado pela rebeldia ou entrega de ânimo, negando-se à luta e autodestruindo-se, sem se dar conta.

Surgem, então, como decorrência da sua falta de valor moral, os transtornos depressivos ou de bipolaridade, que o conduzem a lamentável estado de autoabandono, portanto, de autocídio.

Há pessoas que afirmam *ter* problemas, por cultivá-los sem cessar, transferindo-se de uma dificuldade para outra, vitimadas pelo egoísmo, pela autocomiseração, pelo amor-próprio exacerbado.

Há aqueles que *têm* problemas e não se encontram dispostos a enfrentá-los, a solucioná-los, esperando que outros o façam, porque se consideravam isentos de acontecimentos dessa ordem, negando-se, mesmo sem o perceberem, à mudança de estágio evolutivo.

Outros há que *vivem* sob problemas, preservando-os mediante transferências psicológicas continuadas, assim adiando as soluções no tempo e no lugar, ignorando-os e ignorando-se. Esses cultivadores da ilusão fantasiam-se de felizes até os graves momentos, quando irrompem as cobranças da vida – orgânicas, sociais, econômicas, emocionais –, encontrando-os entorpecidos e distantes da realidade.

Na maioria das vezes, porém, as pessoas *são* os problemas, que não solucionam nos pequenos desafios, mas os transformam em impedimentos, assim deixando-se consumir por desequilíbrios íntimos nos quais se *realizam* psicologicamente.

É lícito e natural que cada pessoa se considere *humana*, isto é, com direito aos erros e aos acertos, não incólume, não especial.

Quando erra, repara; quando acerta, cresce.

A evolução ocorre através de vários e repetidos mecanismos de *erro e acerto*, desde os primeiros passos até a firmeza de decisão e de marcha.

Reflexão e diálogo, honestidade para consigo mesmo e para com o seu próximo, esforço constante para a identificação dos limites e ampliação deles constituem terapias e métodos para transformar os problemas em soluções, as dificuldades em experiências vitoriosas, crescendo sem cessar.

O ser psicológico, amadurecido, ama e confia, fitando o alvo e avançando para ele, sem *ter,* nem *ser* problema na própria trajetória.

2
EQUIPAMENTOS EXISTENCIAIS

O PENSAMENTO • CONFLITOS E DOENÇAS • DISTONIAS
E SUAS CONSEQUÊNCIAS • O SER EMOCIONAL

O PENSAMENTO

Os psicólogos organicistas estabeleceram, categóricos, que o pensamento é exteriorização do cérebro, já que não existe função sem órgão. Toda e qualquer manifestação funcional procede, segundo eles, de órgãos que a elaboram.

Compreendendo e respeitando a conceituação, anuímos com o conteúdo, não, porém, com a forma de que se reveste a tese.

Certamente há órgãos geradores de fenômenos que se apresentam na esfera física, embora não necessariamente materiais.

Considerando as ondas de vária constituição – elétrica, magnética, curta, ultracurta, larga, etc. –, conduzindo mensagens de diferentes teores, incontestáveis, porque captadas e utilizadas para as comunicações, observamos que ocorrência semelhante se dá com os raios X, que passaram das aplicações mais simples às tomografias, e os ultrassons utilizados nas ecografias, bem como as ondas eletromagnéticas que possibilitaram as complexas técnicas de diagnóstico, pelo poder de penetração dos mesmos nas intimidades do organismo, desvelando as intrincadas malhas da organização microscópica da aparelhagem física, estabelecendo os parâmetros da saúde e da doença, que podem ser computados, e os seus paradigmas fixados a benefício geral.

No que concerne ao ser biológico, não se pode, seguramente, afirmar que seja apenas a massa com que se apresenta e, se se o fizer, estar-se-á infirmando a realidade da energia e dos seus campos, nos quais se aglutinam as micropartículas que constituem os conglomerados atômicos e, por sua vez, orgânicos, resultando no conjunto que é o corpo, conforme a constituição perispiritual de que se utiliza, em razão da programação moral a que se submete o Espírito no seu processo de evolução.

Desse modo, o pensamento não procede do cérebro. Este tem a função orgânica de registrá-lo e, vestindo-o de palavras, externá-lo, como por intermédio da Arte nas suas incontáveis apresentações.

O pensamento é exteriorização da mente, que independe da matéria e, por sua vez, é originada no Espírito.

O Espírito possui a faculdade mental que expressa o pensamento em todas as direções, utilizando-se do cérebro humano para comunicar suas ideias com as demais pessoas.

Por isso mesmo, analisando-o, o Prof. Mira y Lopez estabeleceu uma linha de progressão, na escala estequiogenética, obedecendo à visão organicista, que apesar disso não foge à realidade espiritual, necessitando-se somente de elasticidade mental para atravessar a ponte de ligação entre uma e outra concepção.

Segundo o emérito mestre, a primeira expressão do pensamento – fase inicial do processo da evolução orgânica e mental – é o primário, no qual a linguagem se apresenta de forma instintiva, sensorial, sem comunicação intelectiva, de natureza verbal e clara. São impulsos que decorrem das necessidades imediatas, buscando exteriorizá-las e tê-las atendidas.

Graças às heranças genéticas, ao processo de crescimento (filogenético) e aos fatores mesológico-sociais, o ser passa para o pré-mágico, no qual a fantasia se apresenta em forma de imaginação rica de mitos que se originam no medo, nas aspirações de equilíbrio, de prazer – períodos da caverna, da palafita – para dar início aos cultos através dos sacrifícios humanos, como forma de aplacar a ira, a fúria dos elementos cruéis, os deuses da vingança, da inveja, do ódio, que lhe pareciam governar a vida, a natureza, o destino.

Naturalmente, mais tarde, vem o período mágico, que se instalou na era agrária, dando origem às grandes civilizações do passado com toda a concepção politeísta, inspirada nos fenômenos que se enriqueciam de ideias mitológicas, muitas das quais, na tragédia grega, oferecem campo para as admiráveis interpretações psicanalíticas.

A próxima fase foi a de natureza egocêntrica, caracterizada pela ambição de ser o alvo central de tudo que passa a girar em torno do interesse do *ego* em detrimento da coletividade, qual ocorre na criança.

É inevitável o processo de crescimento mental e o pensamento faz-se lógico, entendendo a realidade concreta da vida, os fenômenos e suas leis, interpretando o abstrato de maneira fecunda e raciocinando dentro de diretrizes equilibradas, fundamentadas na razão. A linha de raciocínio lógico exige a formulação de dados que facultam o estabelecimento de fatores para que a harmonia dos conteúdos seja aceita.

Na última fase, o pensamento se torna intuitivo, não necessitando de parâmetros racionais, extrapolando o limite dos dados da razão, por expressar-se de forma inusitada no campo atemporal, viajando, concluímos nós, para a área da paranormalidade, das percepções extrafísicas.

Em uma visão espírita do pensamento, a mente plasma no cérebro a ideia, através das multifárias reencarnações, evoluindo o ser espiritual, desde *simples* e *ignorante*, quando se manifesta por meio do pensamento primitivo até o momento em que, desenvolvendo todas as potencialidades que nele jazem, estas se desvelam e se fixam nos sutis painéis da sua constituição energética.

O mecanismo filogenético é manipulado pela mente que programa a cerebração, pela qual exterioriza o pensamento na próxima reencarnação, tendo por base as conquistas anteriores.

À medida que o Espírito evolui, o corpo se aprimora, em face das vibrações do perispírito que o organiza e mantém. Nesse seguimento, a organização material depende das energias espirituais, que necessitam do processo da reencarnação, como a semente precisa do solo para desatar a vida que nela estua embrionária, e o espermatozoide com o óvulo, no reduto próprio, para liberar a vida material.

Assim, o pensamento, que procede da *máquina* mental, recorre ao cérebro a fim de fazer-se entendido no atual estágio de evolução da Humanidade.

Ocorrerá, oportunamente, que o pensamento no campo intuitivo se transmitirá de um a outro cérebro, telepaticamente, sem o impositivo da verbalização, da expressão material: sons, cores, imagens, formas...

Autodescobrimento: uma busca interior

Disciplinar e edificar o pensamento através da fixação da mente em ideias superiores da vida, do amor, da arte elevada, do Bem, da imortalidade, constitui o objetivo moral da reencarnação, de modo que a plenitude, a felicidade seja a conquista a ser lograda.

Pensar bem é fator de vida que propicia o desenvolvimento, a conquista da Vida.

CONFLITOS E DOENÇAS

As reencarnações comuns, sem destaques missionários, invariavelmente são programadas pelos automatismos das leis, que levam em conta diversos fatores que respondem pelas afinidades ou desajustes entre os seres, assim como pelas realizações ético-morais, unindo-os ou não, de forma a darem cumprimento aos imperativos, responsáveis pela evolução individual ou dos grupos humanos. Em outras circunstâncias, são planejadas por técnicos no mister, que aproximam as criaturas, formando os clãs, nem sempre, porém, levando em consideração a afetividade existente entre eles, mas, também, situando-os próximos, na mesma consanguinidade, a fim de serem limadas as arestas, corrigidas as imperfeições morais, desenvolvidos os processos de resgates, próprios dos estágios em que permanecem.

Encontros para primeiras experiências são organizados com o fito de facilitar a fraternidade, ampliando o círculo de afeições; reencontros são estabelecidos para realizações dignificadoras e também retificações impostergáveis.

Por isso, são comuns os choques domésticos, os conflitos de ideias e de interesses, as preferências e os repúdios, os entendimentos e as reações familiares.

Um Espírito que, na infância corporal, não recebe afeto no ninho doméstico, em face da sua historiografia perturbadora, e desenvolve futuros quadros de enfermidades psicológicas ou orgânicas, expia suavemente os delitos que não resgatou e agora são cobrados pela Vida, reestruturando a consciência do dever, ou despertando para ela. Quando se trata, porém, de gravame severo, são impressos pelo perispírito no ser em formação física os limites e anomalias de natureza genética, propiciadores da expiação compulsória, que funciona como recurso enérgico para a reabilitação do calceta.

Nada ocorre na vida por acaso ou descuido da Consciência Cósmica impressa na individual.

Assim sendo, adquirir consciência, no seu sentido profundo, é despertar para o equacionamento das próprias incógnitas, com o consequente compreender das responsabilidades que a si mesmo dizem respeito.

O ser consciente é um indivíduo livre e realizador do bem operante, que tem por meta a própria plenitude através da plenificação da Humanidade.

Alcançar esse nível de entendimento é todo um processo de crescimento interior, mediante constante vigilância e desdobramento das potencialidades adormecidas, que aguardam os estímulos que fomentam o seu despertar e a sua realização.

Não conscientes das respostas da vida, obedecendo aos automatismos, muitas criaturas permanecem adormecidas em relação aos seus deveres, tornando-se instrumento de sofrimento para si mesmas, como para outros, que lhes experimentam a presença ou delas dependem.

Uma das finalidades primaciais da reencarnação é a aquisição do amor (afetividade plena), para o crescimento espiritual e o autoaprimoramento (encontro com o Deus interno).

Autodescobrimento: uma busca interior

Vitimado pelos atavismos do desamor, pelos caprichos do egoísmo, o ser fecha-se na rebeldia e passa a sentir dificuldades em espalhar a luz do sentimento do bem, permanecendo indiferente ao seu próximo, mesmo quando ele faz parte do grupo familial. O problema se apresenta mais complexo quando esse mesmo sentimento egoísta registra antipatia ou surda animosidade por alguém do grupo doméstico. Tal reação ocorre em forma de *desamor* dos pais pelos filhos, desses por aqueles, entre irmãos ou outros membros do ninho doméstico.

A atitude injustificada faz-se responsável por inúmeros conflitos psicológicos – fobias, insegurança, instabilidade emocional, complexos de inferioridade ou superioridade, soberba, etc. –, e enfermidades orgânicas que aí se instalam.

A criança tem necessidade de ser amada, protegida, nutrida, orientada, a fim de desenvolver os sentimentos da afetividade, da harmonia, da saúde, do discernimento. *Esquecida,* momentaneamente, desses valores, que o *véu da carne* abafa, deve receber de fora – dos pais, da família, da sociedade – os estímulos que lhe propiciem o *despertamento* desses *tesouros* para multiplicá-los através dos investimentos da evolução.

Quando se sente atendida nessas *necessidades,* logra com facilidade alcançar os objetivos da reencarnação, devolvendo aos grupos familial e social todas as conquistas ampliadas e felicitadoras.

Ao experimentar carência, desenvolve quadros patológicos que assumem gravidade a partir da juventude, quando não se tornam pesadas cruzes da fase infantil, exigindo terapias psicossomáticas, espirituais, de natureza moral, a fim de libertar-se da opressão e do desespero que a estiolam.

Desamada, a criança, o seu inconsciente chama a atenção através de distúrbios do sono – pesadelos, inquietação noturna, choro, insônia –, agressividade e rebeldia, medos e mau desenvolvimento psicofísico.

O amor é alimento para a vida, que atua nos fulcros do ser e harmoniza os *equipamentos eletrônicos* do perispírito, responsáveis pela interação Espírito-matéria. A sua vibração acalma e dá segurança, ao mesmo tempo reabastece de forças e vitalidade insubstituíveis.

Quando o indivíduo se identifica desamado – hoje ou no passado –, faz, inconscientemente, um quadro regressivo e descobre que não foi necessariamente nutrido (alimentado pelo amor), passando a experimentar um sentimento de reação através da *anorexia nervosa* ou inapetência, que pode tornar-se um perigo para a sua saúde. O seu curso pode ser acidental, passageiro ou de largo tempo, gerando graves danos orgânicos.

De outra forma, pode apresentar reação totalmente contrária e faz uma patologia de voracidade alimentar, a *bulimia,* em que a insatisfação leva a comer até a exaustão, propiciando perturbações digestivas e nervosas muito complexas.

Ainda ocorrem, nesse capítulo, os casos de *vômitos nervosos*, em que o alimento é expelido por automáticas contrações do estômago e pelos distúrbios gástricos, levando o paciente ao enfraquecimento, à desnutrição...

Indigestão, dispepsia nervosa, diarreia, prisão de ventre fazem parte dessa patogênese decorrente da ausência do amor, no capítulo da reencarnação do Espírito.

A necessidade de cada um *digerir* os próprios problemas é indiscutível e inadiável, devendo fazer parte da agenda diária de todo aquele que desperta para a consciência de si, não se permitindo agasalhar conflitos, mesmo que sob hábeis camuflagens do inconsciente.

Mediante uma autoanálise honesta, na qual se dispensem o elogio, a condenação e a justificação, o indivíduo deve permitir-se a identificação do erro, do problema, e sem consciência de culpa *digerir* o acontecimento, buscando os meios para reparação e a libertação do sentimento perturbador.

Não são poucos os males orgânicos que defluem das emoções e sentimentos nas áreas da afetividade e do comportamento, que podem ser evitados e solucionados graças a uma atitude de boa vontade para consigo mesmo e para com os outros, permitindo-lhes o direito de serem como são e não conforme gostaria que fossem.

A cuidadosa autoanálise, sem caráter exigente nem condenatório, abrirá possibilidades inúmeras para o equilíbrio e ajudará a desenvolver a tolerância em relação aos outros, produzindo harmonia interior.

Surgem, então, os desejos de recuperação pelo trabalho e bem orientada canalização das energias, que se transformam em dínamos geradores de força, que propiciam saúde, bem-estar e harmonia.

DISTONIAS E SUAS CONSEQUÊNCIAS

Quando ocorre a ruptura do equilíbrio existente entre a *consciência* e o corpo, irrompem as enfermidades, as quais expressam a reação que ora se estabelece.

A vida orgânica é resultado da harmonia vibratória do ser, que equilibra as células nos campos onde se aglutinam, dando forma aos órgãos e estas ao corpo físico, com as suas complexidades, através das quais se exterioriza o psiquismo.

Um *erro* de comunicação entre a consciência e o corpo favorece a desorganização molecular, propiciando a instalação das doenças.

Em razão da causalidade física, moral ou emocional, o distúrbio surgirá nos equipamentos correspondentes, daí decorrendo os fenômenos perturbadores.

A energia vitalizadora que o Espírito irradia, preservando a harmonia psicofísica, resulta dos pensamentos e atos a que o mesmo se afervora.

A enfermidade de qualquer natureza é uma guerra que se apresenta nas paisagens do ser. Encontrando dissonantes os campos vibratórios que constituem os equipamentos da maquinaria humana, instalam-se as colônias microbianas perniciosas, que passam a predominar no organismo. Os macrófagos, encarregados de defender as outras células, em face da deficiência energética, *deixam-se* destruir e perdem a força que os vitaliza, cedendo espaço aos invasores maléficos.

Pergunta-se, normalmente, por que o DNA, que é a causa *primeira* e *essencial* de todas as combinações no corpo, de um para outro momento sucumbe, deixando-se aniquilar pelos vírus e outros agentes agressivos, sem dar-se conta, já que a sua fatalidade biológica resulta do imperativo psíquico, da energia vital que desenvolveu e mantém a vida em todas as suas formas.

Na raiz, portanto, de qualquer enfermidade encontra-se a distonia do Espírito, que deixa de irradiar vibrações harmônicas, rítmicas, para descarregá-las com baixo teor e interrupções que decorrem da incapacidade geradora da Fonte de onde procedem.

Na mesma ordem estão os conflitos, os transtornos psicológicos, os distúrbios fóbicos e outros da área psiquiá-

Autodescobrimento: uma busca interior

trica. Mesmo quando a sua psicogênese se encontra na hereditariedade, nos fatores estressantes, nos socioeconômicos, nos psicossociais e emocionais, as *causas reais* se originam do ser espiritual, que é sempre o agente de todos os acontecimentos que dizem respeito ao ser humano.

Esse *feixe de energia pensante*, que é o Espírito, age e, ao fazê-lo, preserva a capacidade que lhe é peculiar, ou perturba-a de acordo com o direcionamento das suas manifestações.

Exteriorizada a ação, mental ou física, ondas de energia carregadas de força viajam no rumo que objetiva e, conforme a sua qualidade – positiva ou negativa –, potencializa ou desconecta os núcleos do corpo intermediário – perispírito –, resultando em capacidade de saúde ou receptividade a doenças.

Para o tentame do reequilíbrio e bem-estar, a interiorização do ser e o pensamento carregado de amor constituem os valores que reparam as engrenagens supersensíveis do modelo organizador biológico, restabelecendo-lhe a harmonia e, no caso psíquico, refazendo os campos nos quais se movimentam os neuropeptídios e outras moléculas nervosas.

Todo conflito procede do ser que pensa, do direcionamento das suas aspirações, das suas atitudes próximas como remotas.

Ademais, em se considerando os campos de força e afinidade que existem no Universo, o indivíduo sintoniza, também, com os equivalentes ao seu teor vibratório, tornando-se hospedeiro de mentes e seres enfermiços que pululam na psicosfera do Planeta, já desencarnados, que passam a exaurir-lhe as forças por osmose espiritual – obsessão –, assim como pelas correntes mentais que se exteriorizam das demais criaturas em cujo círculo se movimenta.

Nunca será demasiado propor-se elevação moral e renovação espiritual do ser humano, autor do próprio destino, considerando-se que, de acordo com aquilo a que aspire e faça, proporcionará a si mesmo, hoje ou mais tarde, o resultado da sua escolha.

Introspecção, alegria, reflexão, cultivo de ideias superiores, oração constituem terapias avançadas, com os seus efeitos vibracionais positivos, em favor de quem os mantenha, produzindo saúde pela recomposição do equilíbrio psicofísico.

O SER EMOCIONAL

O homem e a mulher, pela sua estrutura evolutiva, são, essencialmente, seres emocionais. Recém-saídos do instinto, em processo de conscientização, demoram-se no trânsito entre o primarismo – a sensação – e a razão, passando pela emoção.

Mesmo quando adquirem o senso do discernimento após se intelectualizarem, acreditando possuir um grande controle da emoção, dela não se libertam como a princípio gostariam.

A emoção bem-direcionada torna-se um dínamo gerador de estímulos e forças para realizações expressivas, promovendo aqueles que a comandam, como pode fazer-se instrumento de desgraça, caso lhes fuja ao controle.

Nos relacionamentos interpessoais a emoção exerce um papel relevante, essencial para o êxito, contribuindo para a afetividade, a convivência feliz. No entanto, antes de se exteriorizar como seria ideal, exige todo um curso disciplinante, uma análise profunda, a fim de converter-se em equipamento adequado do *Eu superior,* expressando-se na conduta e na vivência.

Autodescobrimento: uma busca interior

Inicialmente, cada indivíduo deve realizar uma avaliação a respeito da própria emotividade, para identificar se a mesma se encontra embotada, exaltada, indiferente, apaixonada ou sob estímulos enobrecedores.

Quando está embotada, não registra as manifestações da afetividade, conforme se expresse, buscando apenas a fonte das sensações rudes, em cujo desbordar se compraz; se se apresenta exaltada, perde a diretriz do comportamento, deturpando quaisquer manifestações de carinho e perturbando o discernimento; quando indiferente, ignora o rumo das exteriorizações, *morrendo* por efeito de satisfações não saciadas e de prazeres não fruídos; se apaixonada, manifesta-se a um passo da alucinação, porque mantendo os remanescentes dos instintos fisiológicos, deixando que predominem os desejos hedonistas, em egocentrismo infeliz; somente quando estimulada pelos objetivos enobrecedores, estabelece paradigmas e patamares de autorrealização e integração nos mecanismos da Vida.

Nessa natural escalada para os níveis da *consciência lúcida* ou de *transcendência do ego,* a caminho da conquista cósmica através das suas diferentes etapas, é justo examinar-se: a) como se reage diante de si próprio; b) qual a conduta em referência ao próximo; c) de que forma desenvolver os valores íntimos em relação a si e aos demais.

No primeiro caso, torna-se essencial a análise cuidadosa a respeito das reações emocionais diante dos desafios: cólera, ciúme, mágoa, revide, ódio, inveja..., que decorrem do primitivismo moral do ser, ainda aferrado a complexos de inferioridade, de superioridade e aturdido por conflitos que remanescem da *consciência de culpa.*

O trabalho por libertar-se desses verdadeiros verdugos do *Eu superior* torna-se imprescindível ao desenvolvimento da emoção, ao seu engrandecimento, para estabelecer e seguir as linhas de manifestação equilibrada.

No segundo caso, as reações diante do próximo serão resultado do hábito de como enfrentar situações inesperadas, fenômenos novos, jogos psicológicos desconhecidos, para que os conflitos não se expressem em forma de retraimento, suspeita, narcisismo, aparência de conhecedor de toda a verdade, medo, loquacidade, presunção instigante... A insegurança pessoal responde pelo descontrole da emoção na conduta do relacionamento com outras pessoas.

O indivíduo tranquilo, porque portador de confiança em si mesmo, não se atormenta quando enfrenta situações novas e desafiadoras, agindo com serenidade, sem a preocupação exagerada de parecer bem, de fazer-se detestado, de eliminar o outro ou de sobrepor-se a ele... É natural e espontâneo, aberto aos relacionamentos interpessoais, respeitador das ideias e condutas do outro, embora não abdicando das suas próprias nem as mascarando para agradar, ou exibindo-as para impô-las...

Dialoga com suave emotividade, assinalando aquele que o ouve com algo agradável e duradouro que brinda no contato estabelecido. Por sua vez, recebe também alguma dádiva, que irá contribuir para o seu crescimento íntimo.

Do inter-relacionamento nascem experiências proveitosas para o amadurecimento psicológico constante do ser.

No terceiro caso, faz-se doador, livre de exigências, sem paixões dissolventes, vinculando-se e amando, ou liberando-se sem ressentimentos, constatando, porém, que em todo relacionamento há sempre uma bela aquisição de vida

Autodescobrimento: uma busca interior

pela empatia que provoca, pelas expectativas que desperta, pela convivência enriquecedora.

Avançando no equilíbrio da emoção, o encantamento da existência física libera-o da queixa, das frustrações, dos tormentos, que são resquícios do período egoísta ultrapassado, para viver as excelências de cada momento novo e de todas as horas porvindouras, sem angústias pelo ontem, nem ansiedades pelo amanhã.

Cada ser humano é uma incógnita a ser equacionada por ele próprio.

Quando se inicia a operação solucionadora, o primeiro quesito é dedicado à afetividade, ao desvelamento interior, à autorrevelação, ao diálogo franco e jovial. Nem sempre, porém, aqueles a quem se dirige estão em condições de entendê-lo, de intercambiar emoções.

Não raro, o interlocutor se alegra ao conhecer as dificuldades do seu *confidente,* desrespeita-lhe a confiança, divulgando as informações que lhe foram reveladas, ou nele provoca, por imaturidade como por insânia, conflitos desnecessários, perturbadores.

Nem por isso, deve o ser asfixiar a sua emoção, temeroso dos relacionamentos, isolando-se, assumindo posturas alienadas.

Quem se afasta do meio social, por se acreditar perseguido, não compreendido – em crise paranoide –, deixa de realizar-se emocionalmente.

Não são as circunstâncias que se fazem responsáveis pelo bom ou mau humor do indivíduo, mas a forma pessoal como ele as encara.

O desenvolvimento da emoção é imperativo da reencarnação do Espírito, que se aprimora, etapa a etapa, no processo da evolução, passando pelas sucessivas experiências carnais.

Cumpre, desse modo, ao homem e à mulher, seres essencialmente emocionais, a canalização dessa força dinâmica para a autossuperação, constatando que ninguém, em fase normal do desenvolvimento, passa sem vivenciar o alto potencial da emoção.

3
CONSCIÊNCIA E VIDA

INCURSÃO NA CONSCIÊNCIA • CONSCIÊNCIA RESPONSÁVEL
• CONSCIÊNCIA E SOFRIMENTO • EXAME DO SOFRIMENTO

INCURSÃO NA CONSCIÊNCIA

Remontando-se à origem da vida nos seus mais remotos passos, encontra-se a presença do psiquismo originado em Deus, aglutinando moléculas e estabelecendo a ordem que se consubstanciou na realidade do ser pensante.

Etapa a etapa, através dos vários reinos, essa *consciência* embrionária desdobrou os germes da lucidez latente até ganhar o discernimento vasto, plenificador.

À medida que a complexidade de valores se torna unificada na sua atualidade, surgem, no comportamento do indivíduo, por atavismo das experiências anteriores, os conflitos e os distúrbios que respondem na área psicológica pelos muitos problemas que o afligem.

Faz-se então indispensável, ao adquirir-se o conhecimento de si, o aprofundamento da busca da sua realidade, deslindando os complicados mecanismos viciosos que impedem a marcha ascensional e não o levam à realização total.

Os impulsos orgânicos propelem sempre para a comodidade, a satisfação dos instintos, o imediatismo do prazer, a prejuízo da meta essencial: a libertação dos processos determinantes dos renascimentos carnais, que são as paixões primitivas.

A atração pelo mundo exterior conduz, por sua vez, a inumeráveis distonias emocionais, que atormentam e desvairam o indivíduo, afugentando-o de si mesmo num rumo difícil de ser mantido.

Somente através de um grande empenho da vontade é possível olhar para dentro e pesquisar as possibilidades disponíveis para melhor identificar o que fazer, quando e como realizá-lo.

Trata-se, essa tarefa, de um desafio que exige intenção lúcida até criar-se o hábito da interiorização, partindo da reflexão para o mergulho no *oceano* do Si, daí retirando as *pérolas preciosas* da harmonia e da plenitude, indispensáveis à vivência real de ser pensante.

A mente não adestrada nessa busca hesita e retrai-se, impedindo-se o descobrimento dos recursos inimagináveis, que esperam para ser desvelados.

As tendências ao relaxamento e ao menor esforço, inerentes ao processo da evolução pelo trânsito nas fases anteriores, dificultam os procedimentos iluminativos imprescindíveis.

Na excursão ao mundo objetivo o ser adquire conhecimentos intelectuais e experiências vivas das realizações humanas; no entanto, apenas no esforço de interiorização conseguirá identificar-se com os objetivos essenciais da sua realidade, harmonizando-se.

Adquirir a consciência plena da finalidade da existência na Terra constitui a meta máxima da luta inteligente do ser.

O Evangelho refere que Jesus asseverou, conforme as anotações de Mateus, no capítulo seis, versículos vinte e dois e vinte e três: – *"A candeia do corpo são os olhos... Se estes, pois, forem simples, todo teu corpo será luminoso; mas se forem maus, todo o teu corpo ficará às escuras. Se, portanto, a luz que há em ti são trevas, quão grandes são tais trevas!"*

Nessa figura admirável, o Psicoterapeuta por excelência estabeleceu a essencialidade da vida nos olhos, encarregados da visão, a fim de que, despretensiosos dos aparatos transitórios do mundo, mergulhem na luz interior, de modo que tudo se faça claridade.

O reino da luz é interno, sendo imperioso penetrá-lo, para que as trevas da ignorância não predominem, densas e perturbadoras.

Os olhos espirituais – a mente lúcida – são a chama que desce ao abismo da individualidade para iluminar os meandros sombrios das experiências passadas, que deixaram marcas psicológicas profundas, ora ressumando de forma negativa no comportamento do ser.

Insatisfação, angústia, fixações perturbadoras são o saldo das vivências perniciosas, cujas ações deletérias não foram digeridas pela consciência e permanecem pesando-lhe na economia emocional.

Manifestam-se como irritabilidade, mal-estar para consigo mesmo, desinteresse pela vida, ideias autodestrutivas, em mecanismos de doentia expressão, formando quadros psicossomáticos degenerativos.

Quaisquer terapias, para fazê-los cessar, terão que alcançar-lhes as raízes, a fim de extirpá-las, liberando os núcleos lesados do psiquismo e restaurando-lhes a harmonia vibratória ora afetada.

Trata-se de uma experiência urgente quão desagradável nas primeiras etapas, porquanto, a exemplo de outros exercícios físicos, causam cansaço e desânimo, resultantes da falta desse hábito salutar, até que, vencida essa primeira fase, comecem a produzir leveza e rapidez de raciocínio, lucidez espiritual e inefável bem-estar.

Cada vez que é vencido um patamar e superados os impedimentos castradores e de culpa, mais amplas possibilidades se apresentam, liberando o indivíduo dos conflitos habituais e equipando-o de legítimas alegrias. A vida se lhe torna ideal, e a morte não se afigura desagradável, por vivenciá-la nos estados de meditação, sentindo-se o mesmo no corpo ou fora dele.

Interiorizar-se cada vez mais, sem perder o contato com o mundo físico e social, deve ser a proposta equilibrada de quem deseja realizar-se no encontro com os valores legítimos da existência.

Podemos considerar que este tentame leva o experimentador do mundo irreal – o físico – para o real – o transpessoal – gerador e causal de todas as coisas.

Consciência responsável

Responsabilidade, em bom vernáculo, *é a qualidade ou condição de responsável.* O ser responsável, por extensão, é aquele que se desincumbe fielmente dos deveres e encargos que lhe são conferidos, *que responde pelos próprios atos ou pelos de outrem,* tornando-se de caráter moral, quando defende os valores éticos pertencentes aos outros e à vida.

A responsabilidade pode ser deferida, desde quando é delegada por uma autoridade ou lei, a fim de ser cumprido o estatuto que estabelece e caracteriza os valores e compromissos a serem considerados.

Essa é a mais comum, encontrada em toda parte.

Além dela, existe aquela que é conquistada pelo amadurecimento psicológico, pela conscientização inerente às experiências resultantes da evolução.

Muitas vezes, a responsabilidade que se torna atributo do caráter moral do indivíduo faz-se grave empecilho ao processo de engrandecimento do ser, caso o seu portador se atenha à letra ou ao limite do estabelecido, sem examinar a necessidade que lhe é apresentada, do ponto de vista da compreensão.

Graças à conceituação de responsabilidade, criminosos de guerra e servidores rudes buscam passar a imagem de inocência ante a crueldade que aplicaram, informando que cumpriam ordens na desincumbência das infelizes tarefas e que estavam sujeitos a imposições mais altas que deveriam atender.

Outros, responsáveis por massacres cruéis e atitudes agressivas, refugiam-se na transferência de responsabilidade, elucidando que deveriam agir conforme o fizeram, ou sofreriam as consequências da desobediência.

Nas instituições militares a responsabilidade cega o indivíduo, de modo a obedecer sem raciocinar e a cumprir ordens sem discuti-las ou justificá-las.

Diz-se que, aqueles que se lhes submetem, tornam-se pessoas responsáveis.

Nesse capítulo incluiríamos os tímidos, os medrosos, os pusilânimes, os aproveitadores, todos não necessariamente portadores de responsabilidade.

Dessa forma, seria inculpado, porque responsável, zeloso pelas suas funções e deveres, Pilatos, que condenou Jesus à morte, embora O soubesse inocente.

Posto em cheque pela astúcia dos *doutores judeus,* de que Jesus dizia-se rei e ele representava o imperador, que era o seu rei, não O crucificar seria crime de traição em relação ao seu representado, com esse sofisma levando o pusilânime, irresponsavelmente, a mandar crucificar o Justo, *lavando as mãos* para liberar-se da culpa.

Os sicários dos campos de concentração e os belicosos, sistemáticos fomentadores de guerras, que as fazem com crueldade, assim procedem, dizem, para se desincumbir das determinações que recebem dos seus chefes e comandantes.

A responsabilidade, p ara ser verdadeira, não pode compactuar com a delinquência, nem ignorar os mínimos deveres de respeito para com a vida e para com as demais criaturas.

A responsabilidade, que resulta do amadurecimento psicológico e que é adquirida pela vivência das experiências humanas, harmoniza o dever com a compreensão das necessidades dos outros, conciliando o cumprimento das atividades com as circunstâncias nas quais se apresentam.

Quem assim age, responsavelmente, torna-se pessoa-ponte, ao invés de assumir a postura de ser obstáculo, gerando dificuldades e perturbações.

Nesse sentido, a visão do ser imortal contribui grandemente para entender a responsabilidade que se tem no mundo, porque é deferida desde o Mais Alto, como redarguiu Jesus ao seu inquisidor, que a tinha, *porque lhe fora dada...,* e poderia perdê-la, qual ocorreu pouco depois, ao ser destituído da função, e mais tarde, quando despojado do corpo pela morte...

Para a aquisição da responsabilidade consciente os valores eternos do Espírito são indispensáveis, de modo a serem absorvidos e vivenciados, ultrapassando os limites das determinações humanas de horizontes estreitos e curtos.

Considerando-se a existência física como sendo um breve período de aprendizagem, na larga faixa das sucessivas reencarnações, o ser adiciona ao conceito da responsabilidade os contributos do amor, dessa forma identificando os melhores meios para agir, quando pode e deve – com consciência – não se precipitando a tomar decisão, quando deve, mas não pode, ou quando pode, mas não deve – responsabilidade inconsciente.

CONSCIÊNCIA E SOFRIMENTO

O desabrochar da consciência é um trabalho lento e contínuo, que constitui o desafio do processo da evolução. Inscrevendo no seu âmago a *Lei de Deus,* desenvolve-se de dentro para fora a esforço da vontade concentrada, como meta essencial da vida.

Da mesma forma que, para atingir a finalidade, a semente deve morrer para libertar o vegetal que lhe dorme em latência, a consciência rompe a obscuridade na qual se encontra (a inconsciência), para conseguir a plenitude, a potencialidade do Si espiritual a que se destina.

Nesse desenvolvimento inevitável – que se dá durante a existência física nas várias etapas reencarnacionistas – o sofrimento apresenta-se como o meio natural da ocorrência evolutiva, constituindo o *processus* de maturação e de libertação do Espírito, o ser imortal. Enquanto esse fenômeno não ocorrer, o indivíduo permanecerá mergulhado em um estado de *consciência coletiva* amorfa, perdido no emaranhado dos instintos primitivos, das paixões primárias, em nível de *sono sem sonhos,* sem autoidentificação, sem conhecimento da sua realidade espiritual.

Para que possa refletir a luz, a gema experimenta a lapidação, que a princípio lhe arrebenta a aspereza, facultando-lhe a liberação da ganga até o âmago onde jaz toda pureza e esplendor.

Em face à sensibilidade de que é constituído, o ser humano também experimenta a purificação mediante a dor, que gera os sofrimentos psicológicos, físicos e morais, que o propelem ao aceleramento do esforço de sublimação na qual conseguirá a plenificação.

Diante da ignorância da necessidade de evoluir (estágio de adormecimento da consciência) o sofrimento se lhe apresenta agressivo e brutal, gerando revolta e alucinação.

À medida que aprimora a sensibilidade, ele se faz profundo, sutil, fomentador de crescimento e transformação interior.

Mergulhado na sombra da desidentificação de si mesmo, o ser (embrutecido) não sabe eleger as aspirações éticas e estéticas para a felicidade, perturbando-se na contínua busca do atendimento às necessidades fisiológicas (sensações) em detrimento das emoções psicológicas, que o capacitam para a conquista do belo, do nobre e do bom.

O despertar da consciência, saindo da obscuridade, do amálgama do coletivo, para a *individuação,* é acompanhado pelo sofrimento, qual parto que proporciona o desabrochar da vida, porém, sob o guante ainda inevitável da dor.

Nesse mecanismo da evolução, cada ato gera um efeito equivalente, que interage em novos cometimentos de que ninguém se pode eximir.

Por ser parte do grupo social, no qual se movimenta e se desenvolve, influencia-o, querendo ou não, e com este produzindo um envolvimento coletivo, que responde pelo seu estacionamento ou progresso, conforme favorável ou perturbador seja o conteúdo da sua atividade.

Como efeito, temos os sofrimentos sociais, dos grupamentos humanos que transitam na mesma faixa de aspirações e interesses.

A reencarnação é lei da vida, impositiva, inevitável, recurso de superior qualidade para o desenvolvimento do Espírito, esse arquiteto de si mesmo e do seu destino.

Dispondo da livre opção ou arbítrio, ele trabalha em favor da rápida ou lenta ascensão, conforme o comportamento a que se entrega.

Como luz nos refolhos da consciência adormecida o que deve ou não fazer, cabe-lhe aplicar com correção os impulsos que o propelem ao avanço de acordo com o que deve ou não realizar, de forma a conseguir a harmonia (ausência de culpa). Toda vez que se equivoca ou propositadamente erra, repete a experiência até corrigi-la (provação) e, se insiste teimosamente no desacerto, expunge-o em mecanismos de dor sem alternativa ou escolha (expiação).

O sofrimento estrutura-se, portanto, nos painéis da consciência, conforme o nível ou patamar de lucidez em que se expressa. Do asselvajado, automático, ao martírio por abnegação; desde o grosseiro e instintivo ao profundo, racional, as tecelagens da noção de responsabilidade trabalham a *culpa,* que imprime o imperativo da reparação como recurso inalienável de recuperação.

Instalam-se então os conflitos – quando há consciência de culpa – que se transferem de uma para outra reencarnação, dando surgimento aos distúrbios psicológicos que aturdem e infelicitam; ou desarticulam as sutis engrenagens do corpo perispiritual – *o modelo organizador biológico* –

propiciando as anomalias congênitas – físicas e psíquicas –, as enfermidades mutiladoras; ou se instalam no ser profundo, favorecendo com as rudes aflições morais, sociais, financeiras, em *carmas* perturbadores, que dilaceram com severidade o ser.

Nesse complexo de acontecimentos, o amor é o antídoto eficaz para todo sofrimento, prevenindo-o, diminuindo-o ou mudando-lhe a estrutura.

A fatalidade da Lei Divina é a perfeição do Espírito. Alcançá-la é a proposta da vida. Como conseguir é a opção de cada qual.

O amor é o sentimento que dimana de Deus e O vincula à criatura, aproximando-a ou distanciando-a de acordo com a resposta que der a esse impulso grandioso e sublime.

Nas suas manifestações iniciais, o amor confunde-se com os desejos e as paixões, tornando-se *fisiológico* ou do *queixo para baixo*. É egoístico, atormentante, imprevisível, apaixonado...

À medida que a consciência se desenvolve, sem que abandone as *necessidades,* torna-se *psicológico – do queixo para cima –*, mantendo os idealismos, diminuindo a posse, os arrebatamentos, e superando os limites egoístas. Lentamente ascende à escala superior, tornando-se humanitarista, libertador, altruísta...

Graças à sua ingerência nas ações, o que favorece o progresso constitui-lhe recurso para alterar as paisagens cármicas do Espírito, modificando os painéis dos sofrimentos futuros – prevenindo-os, diminuindo-os ou liberando-os – conforme a intensidade da sua atuação. Entretanto, à medida que o ser desperta para a sua realidade interior, o sofrimento muda de expressão e pode tornar-se um instrumento do próprio amor, ao invés de manter o caráter reparador, qual ocorreu com Jesus Cristo, Francisco de Assis e outros que, sem quaisquer débitos a ressarcir, aceitaram-no, a fim de ensinarem coragem, resignação e valor moral...

Uma atitude mental afável, amorosa é a melhor receita para o sofrimento, porquanto rearmoniza a energia espiritual que vitaliza o corpo e desconecta as engrenagens das doenças, que nelas se instalam como efeito dos distúrbios da *consciência de culpa,* defluente dos atos pretéritos.

A postura amorosa desperta a *consciência de si mesmo,* anulando os fluidos perniciosos que abrem campo à instalação das *doenças incuráveis,* portanto, dos sofrimentos dilaceradores.

A energia gerada por uma consciência em paz, favorável ao desdobramento do sentimento de amor profundo, é responsável pela liberação do sofrimento. Mesmo que, momentaneamente, as suas causas permaneçam, ele se torna um estímulo positivo para maior crescimento íntimo, não se fazendo afligente, embora um *espinho na carne,* como asseverou o apóstolo Paulo, advertindo e guiando os movimentos na direção da meta final.

Desse modo, diante dos carmas extremos, o amor é o recurso exato para trabalhar a *Lei de Compensação* ou *de Causa e Efeito,* alterando-a para melhor ou dando-lhe o sentido da felicidade.

EXAME DO SOFRIMENTO

A sensibilidade à dor depende do grau de evolução do ser, do seu nível de consciência.

À medida que progride, que sai do mecanismo dos fenômenos e adquire responsabilidade como decorrência da conscientização da sua realidade, ele se torna mais perceptivo ao sofrimento, embora, simultaneamente, mais resistente.

Os desgastes biológicos decorrentes da entropia, naturais no processo da vida, que exigem a consumpção da energia, não o atormentam, quando ocorrem nas faixas primárias (das sensações), passando a afligi-lo, apesar da grande resignação de que se faz portador, na área moral, portanto, na dos sentimentos profundos (das emoções).

Emergindo dos automatismos (da inconsciência), adquire mais amplas percepções e lucidez (consciência), despertando para as aspirações elevadas da altivez emocional e da abnegação pelo serviço do bem, com natural renúncia ao egoísmo, em favor do próximo (individual), como do grupo social no qual se movimenta.

Mantendo a sua individualidade intacta, percebe a necessidade de integrar-se harmonicamente na Unidade Universal, pelo que trabalha com afã, descobrindo que os seus acertos e equívocos produzem ressonância na Consciência Cósmica, da qual procede e para cuja harmonia ruma de retorno.

A consciência lúcida equipa-o de instrumentos que o auxiliam na superação da amargura, do desespero, da infelicidade, em face à compreensão dos objetivos espirituais da sua existência, por enquanto nas faixas mais ásperas do mecanismo evolutivo.

O sofrimento tem raízes em acontecimentos infelizes anteriores, cuja intensidade se vincula à gravidade daqueles. Por isso é inevitável. Gerada a causa, estão disparados os efeitos que alcançarão o infrator, convidando-o à reparação, que ocorre quando são detidos os fatores da perturbação.

Autodescobrimento: uma busca interior

Os acontecimentos decorrentes das ações degeneradoras também compreendem os sentimentos acrisolados, as emoções cultivadas e os pensamentos habituais, que se expressam em forma de impulsos contínuos definidores da personalidade.

A vida mental e emocional é a desencadeadora dos fenômenos ativos, consubstanciados nessas ocorrências.

É importante preservar-se a fonte gerando experiências salutares, porquanto o corpo físico, tornando-se automático às influências, executa as *pressões* originais de que se faz objeto.

Quando o arqueiro libera a flecha, já não pode deter-lhe o destino. Assim também ocorre com as ideias emocionalmente comprometidas, ante a vontade fraca que as direciona e liberta...

O corpo é veículo dúctil ao pensamento, sujeito aos sentimentos e vítima das emoções. De acordo com a qualidade deles passa a ter a sua organização condicionada, e o sofrimento é-lhe sempre a consequência das expressões errôneas.

Os sentimentos, as emoções e os pensamentos constituem a psique do ser, onde o Espírito encontra o seu centro de manifestação até o momento da sua conscientização plena.

Desse modo, a organização molecular do corpo somático é maleável à psique, que a aciona e conduz.

Por isso, cada indivíduo é responsável pela aparelhagem orgânica de que se serve, tornando-se cocriador com Deus, na elaboração dos equipamentos internos e externos para a sua evolução através do veículo carnal.

A cada momento se está construindo, corrigindo ou destruindo o corpo, de acordo com a direção aplicada à psique.

Não raro, os efeitos se fazem demorados; porém, nunca deixam de produzir-se. Tais são os casos dos ditadores, dos exploradores dos seres e dos povos, dos viciados de variado tipo que parecem progredir, quanto mais se fazem impiedosos, promíscuos e venais... No entanto, nunca escapam das malhas das tragédias que os enredam e consomem. A sua história de torpezas e venalidades culmina em dolorosos embates com a *consciência de culpa,* que os alija do mundo ou que os leva a ser expulsos por aqueles que antes desprezavam, pisoteando-os selvagemente.

Graças a essa psique – responsável pelos carmas – a hereditariedade encontra-se submetida à *Lei da Compensação,* unindo os homens conforme as suas simpatias e antipatias, afinidades e desarmonias, que os vinculam em grupos reencarnados com características semelhantes, impressas nos genes e cromossomas pela necessidade da evolução.

No fundo, cada um é herdeiro de si mesmo, embora carregando implementos condicionadores, que procedem dos genitores e ancestrais através das leis genéticas.

Desse modo, cada ser traz *impressas* nas tecelagens sutis da alma, que as transfere para os *arquipélagos* celulares do organismo, as doenças que lhe são necessárias para o reequilíbrio emocional, as limitações e facilidades morais para a recomposição espiritual, os condicionamentos, as tendências e aptidões para a reabilitação da consciência, reparando a ordem que foi perturbada pelo seu descaso, abuso ou prepotência.

Manifestam-se, portanto, os efeitos como enfermidades cármicas, coletivas ou individuais, que periodicamente o assaltam, exigindo refazimento do equilíbrio, restauração da harmonia.

Esta tarefa deverá começar na sublimação dos sentimentos, na qualificação superior das emoções, na elevação moral dos pensamentos, até tornar-se um condicionamento

Autodescobrimento: uma busca interior

correto que exteriorize ações equilibradas em consonância com a ética do bem, do dever e do progresso.

Da mesma forma que o impulso destrutivo e perturbador procede de dentro do ser para fora, o de natureza edificante, restauradora, vem da mesma nascente, então orientada corretamente.

O esforço de transformação da *natureza inferior* para melhor (emoções enobrecidas), alonga-se em um trabalho paciente, modelador do novo ser, que enfrentará os seus carmas consciente de si mesmo, responsavelmente, sem as reações destrutivas, mas com as ações renovadoras.

É o caso das enfermidades *irreversíveis,* que se modificam e desaparecem às vezes, quando, quem as padece, enfrenta o *infortúnio* e coopera para sua superação.

Porque ainda não sabe identificar (ou não quer) o seu estágio de evolução, para bem compreender as necessidades e saber canalizar as energias, o indivíduo demora-se infrutiferamente nas faixas primárias do sofrimento, quando lhe cumpre ascender, empreendendo o esforço libertário que o leva à saúde integral, à felicidade.

Os princípios que regem o macrocosmo são os mesmos para o microcosmo, e o homem é a manifestação da vida, sintetizando as glórias e as imperfeições do processo da evolução, que lhe cumpre desenvolver para atingir o ápice da destinação a que está submetido.

4
O INCONSCIENTE E A VIDA

O INCONSCIENTE · O SUBCONSCIENTE
· O INCONSCIENTE SAGRADO

O INCONSCIENTE

Do ponto de vista psicológico, *o inconsciente é o conjunto dos processos que agem sobre a conduta, mas escapam à consciência.*

Na História podemos encontrar as primeiras noções sobre o inconsciente, detectadas por vários filósofos desde Leibniz a Schopenhauer, tornando-se tema da Ciência somente a partir das admiráveis pesquisas de Charcot, Pierre Janet – na Universidade de Paris –, assim como de Liebault e Bernheim – na de Nancy –, nas suas experiências hipnóticas, tentando encontrar as causas psicológicas para as perturbações fisiológicas.

Com as notáveis contribuições de Freud e, mais tarde, de Jung, entre outros, o *inconsciente* passou a ser *a parte da atividade mental que inclui os desejos e aspirações primitivas ou reprimidas,* segundo o mestre de Viena, em razão de não alcançarem a consciência espontaneamente, graças à censura psíquica que bloqueia o conhecimento do ser, mas somente através dos métodos psicoterápicos – revelação dos sonhos, redescobrimento dos fatores conflitivos, dos atos perturbadores e outros – ou dos traumas profundos que afetam o sistema emocional.

Podemos distinguir duas formas de inconsciente: psíquico ou cortical e orgânico ou subcortical.

Além dessa visão ou mesmo através dela, Jung concebeu o *inconsciente coletivo,* que seria uma presença no indivíduo com todas as experiências e elementos mitológicos do grupo social, *decorrentes da estrutura hereditária do cérebro humano.*

O inconsciente orgânico ou subcortical – fisiológico, instintivo – é automático, inicial, natural, corresponde ao *id* de Freud e aos *arquétipos* de Jung, enquanto o psíquico ou cortical responde pelos condicionamentos de Pavlov, pelo *polígono* de Grasset e os *traumas* e *recalques* estudados pela Psicanálise.

Acreditava-se, anteriormente, que o *ser subcortical* era um amontoado de automatismos sob o direcionamento dos instintos, das necessidades fisiológicas. A moderna visão da Psicologia Transpessoal, no entanto, demonstra que a consciência cortical não possui espontaneidade, manifestando-se sob as ocorrências do mundo onde se encontra localizada. Por isso mesmo, esse *inconsciente* é o Espírito, que se encarrega do controle da *inteligência fisiológica* e suas memórias – campo perispiritual –, as áreas dos instintos e das emoções, as faculdades e funções paranormais, abrangendo as mediúnicas.

Nesse subcórtex, Jung situou o seu *inconsciente coletivo,* concedendo-lhe atributos quase divinos.

Modernamente, a Genética descartou a transmissão cromossômica, encarregada dos caracteres adquiridos. Esse *inconsciente coletivo* seria, então, o registro mnemônico das reencarnações anteriores de cada ser, que se perde na sua própria historiografia.

Felizmente o ser não tem consciência de todas as ocorrências do córtex, que as registra automaticamente – inconsciente cortical –, pois se o conhecera, tenderia sua vida psíquica a um total desequilíbrio.

Necessário, portanto, ao ser humano, saber e recordar, mas, também, desconhecer e olvidar...

Todos os funcionamentos automáticos do organismo dão-se sem a participação da consciência, o que lhe constitui verdadeira bênção.

Não raro, nessa área, patologicamente podem ocorrer dissociações mórbidas do psiquismo, dando origem às personalidades duplas (secundárias) que, em se tornando conscientes, prevalecem por algum tempo.

Janet pretendia, em equivalente conceito, resumir todas as comunicações mediúnicas, fenômenos dissociativos do psiquismo, considerando-as, por efeito, de natureza patológica.

É, no entanto, nessa área, que se registram as manifestações mediúnicas, igualmente ocorrendo estratificações anímicas, que afloram nos momentos dos transes, às vezes, interferindo e superando os fenômenos de natureza espiritual.

O SUBCONSCIENTE

Consideremos o subconsciente como parte do inconsciente, que pode aflorar à consciência, com os seus conteúdos, alterando o comportamento do indivíduo. Ele é o arquivo próximo das experiências, portanto, automático, destituído de raciocínio, estático, mantendo fortes vinculações com a personalidade do ser. É ele que se manifesta nos sonhos, nos distúrbios neuróticos, nos lapsos orais e de escrita – *atos falhos* –, tornando-se, depois de Freud e seus discípulos, mais tarde dissidentes, Jung e Adler, responsável também pela conduta moral e social.

Os pensamentos e atos – logo depois de arquivados no subconsciente – programam as atitudes das pessoas. Assim, quando se toma conhecimento de tal possibilidade, elegem-se quais aqueles que devem ser acionados – no campo moral e social – para organizar ou reprogramar a existência.

O INCONSCIENTE SAGRADO

À medida que o ser se conscientiza da sua realidade, transfere-se de níveis e patamares da percepção psicológica, para aprofundar buscas e sentir o apelo das possíveis realizações.

Fase a fase, identificando-se com os seus conteúdos psíquicos, a visão dos objetivos íntimos se lhe agiganta e cada conquista faculta-lhe um elenco de entendimentos que fascinam, motivando-o ao avanço e à autopenetração profunda.

Crê-se, com certa lógica, que a aquisição da consciência plena faculte sabedoria imediata, harmonia e certa insensibilidade em relação às emoções. Fosse assim e condenaríamos o sábio à marginalidade, por não participar, solidário, dos problemas que afligem os demais indivíduos em si mesmos e na sociedade em geral.

A sabedoria resulta da união do conhecimento com o amor, cujos valores tornam o ser tranquilo, não insensível; afetuoso, não apaixonado.

A perfeita compreensão da finalidade do sofrimento, na lapidação, desenvolvimento e evolução, proporciona-lhe solidarizar-se com equilíbrio, sem compaixão nem exaltação, qual ocorre com um educador acompanhando o esforço e sacrifício do aluno até sua exaustão, se necessário, para a aprendizagem. Havendo transitado pelo mesmo caminho, ele o bendiz, agradecendo a sua permanência, que propicia a outros candidatos experiências equivalentes.

A visão de humanidade alarga-se e o sentimento de amor desindividualiza-se, para sentir uma imensa gratidão pelos que passaram antes, aqueles que prepararam a senda que ele percorreu; desponta-lhe uma grandiosa complacência pelos que ainda não despertaram no presente, compreendendo-lhes a infância espiritual em que se demoram; amplia-se a capacidade de auxílio em favor dos que estão empenhados na autoiluminação e, por fim, agiganta-se, afetuoso, em relação ao futuro em que se adentra, mediante as incessantes realizações em que se fixa.

Atingindo os níveis superiores de consciência, nos quais vivencia *estados alterados,* lentamente abre comportas psíquicas que se assinalam por *traços* dessas percepções até imergir no *inconsciente profundo.*

Esse *inconsciente profundo,* porém, que alguns psicólogos transpessoais e mentalistas denominam como *sagrado, é depósito* das experiências do Espírito eterno, do *Eu superior,* da realidade única da vida física, da causalidade existencial...

A identificação da consciência com esse *Ser profundo* proporciona conquistar a lucidez sobre as realizações das reencarnações passadas, num painel de valiosa compreensão de *causas e efeitos* próximos como remotos.

Diante das possibilidades agigantadas, o indivíduo, lentamente, deixa todos os apegos – remanescentes do *ego* –, todos os desejos – reflexos perturbadores do *ego* –, todas as reações – persistência dominadora do *ego*...

O Mal e os males não o atingem, porque a sua compreensão do Bem o leva a identificar Deus em tudo, em todos, amando as mais variadas, ou agressivas, ou persuasivas formas de alcançá-lO.

Essa libertação, essa desidentificação com o *ego*, inunda-o de equilíbrio e de confiança, sem pressa nos acontecimentos, sem ressentimento nos insucessos.

A dimensão de tempo-espaço cede lugar ao estado de plenitude, no qual a ação contínua, iluminativa, desempenha o papel principal no prosseguimento da evolução.

Abstraindo-se das objetivações e do mundo sensorial pelo desapego, a vida psíquica se lhe irradia generosa, comandando todos os movimentos e ações sob o direcionamento da realidade imortal, que alguns preferem continuar denominando como *inconsciente sagrado*.

Tornando-se plenamente realizado, sente-se purificado das mazelas, sem ambições, nem tormentos. Aproxima-se do estado numinoso. Liberta-se.

5
Viagem interior

Busca da unidade • Realidade e ilusão •Força criadora

Busca da unidade

Não obstante o conceito einsteniano de que o *Universo marcha para o caos,* há uma fatalidade desenhada em plenitude, que está reservada para a energia pensante.

Ser espiritual, o homem é um incessante despertar. Pela sua natureza energética se vincula à angelitude e, através do seu processo de evolução, conduz a herança animal por onde transitou, retendo-se nas amarras do instinto e esforçando-se pela aquisição da consciência, a fim de liberar-se dele, para favorecer o desdobrar de todas as potências latentes, que procedem da sua origem transcendental.

Mergulhado no tropismo divino e por ele atraído, sai da obscuridade da ignorância e da perturbação (inconsciência) para galgar os abençoados espaços do conhecimento e da sabedoria (consciência).

Nascer de novo no corpo é desdobrar as possibilidades virgens em que se encontra, para conseguir a consciência de si, libertando-se das condensações grosseiras da ignorância. Esse esforço ocorre através das injunções dolorosas da enfermidade, que se apresenta como processo depurativo e libertário das faixas inferiores nas quais se demora.

Analisando *a Lei de Causa e Efeito,* os imperativos da evolução se fazem mediante o ressarcir dos enganos, dos erros, dos delitos, retificando-os e aprimorando as tendências superiores, que passam a desabrochar.

Esse processo, todavia, é semelhante a um *parto transcendental,* gerador de aflições no começo, a fim de facultar e favorecer a vida logo mais.

Constituído por trilhões e trilhões de células na transitoriedade carnal, seu aparelho neurovegetativo, dividindo-se em dois ramos: simpático – responsável pela consciência; e parassimpático – envolvido com a inconsciência –, expressa a sua realidade profunda, que lentamente emerge e cresce, guindando-o à sublimação.

Obedecendo ao imperativo das polaridades que se manifestam no mundo terrestre, tudo trabalha em favor da unidade, marchando para o equilíbrio, a harmonia.

Na filosofia chinesa, essa representação da perfeição está simbolizada no círculo, metade *yang* e outra *yin*, oferecendo a grandiosa manifestação do conjunto harmônico.

Nas expressões sexuais, por exemplo, as polaridades masculina e feminina, no ser psicológico e no ser anatômico, fundem-se para a procriação, gerando vida e completando-se na unidade.

A consciência, por sua vez, é *yang (*masculino, racional, extrovertido, alegre, positivo) e a inconsciência é *yin* (feminino, introvertido, melancólico, negativo), harmonizando-se num conjunto de equilíbrio.

Membro do organismo universal, o ser humano, na sua organização celular, miniaturiza o cosmo no corpo somático, demonstrando que a unidade individual deve representar a harmonia, que vigorará quando todos os homens se equilibrarem nos ideais do progresso, avançando para a Grande Realidade.

Naturalmente, para sair da inconsciência, da introspecção para a lucidez, ocorre um choque entre como se *está* e o que se *é* – centelha divina ergastulada na carne –, resultando em momentâneo desequilíbrio emocional, que decorre da *saudade* de como se vive e *ansiedade* pelo que se pretende e deverá alcançar. Por efeito, quase sempre se estabelece um conflito interior, no qual predomina o passado com suas heranças atávicas, às quais se estava habituado, e os apelos da felicidade liberada de formas e limites, porém ainda desconhecida.

Posteriormente, irrompem os dilaceramentos orgânicos, as infecções bacteriológicas, em razão do enfraquecimento das defesas imunológicas por decorrência dos distúrbios emocionais, convidando à conscientização de si mesmo, com a consequente recomposição dos campos psicomorfológicos, responsáveis pela saúde.

Ultrapassada a fase da manifestação das enfermidades – por mudança de área evolutiva moral –, surge a imperiosa necessidade de, conscientemente, comandar o corpo, a aparelhagem celular, para manter o bem-estar psicofísico, que é também uma fatalidade evolutiva.

A harmonia íntima, que decorre do discernimento das finalidades da vida, propicia a natural integração da criatura no conjunto cósmico, contribuindo para a preservação da Unidade Universal.

Nesse sentido, cada órgão que constitui o conjunto somático é unidade em interdependência com os outros e, por sua vez, cada célula é um *ser* próprio, com função específica, trabalhando com a sua quota em favor do todo, no qual se encontra mergulhada.

Do seu equilíbrio e automatismo – a mitose – resulta a ordem dos equipamentos por ela constituídos, sendo-lhe delegada uma função relevante, que é mantida pela ação da mente individual, geradora da energia de que se constitui.

Por isso, é sensível às mudanças morais, reagindo conforme o direcionamento mental e comportamental do Espírito encarnado.

Essa marcha ascensional é desafiadora, somente podendo ser empreendida e realizada quando luz a conscientização do processo de evolução no ser, que não pode tardar.

O panorama complexo faz-se delineado desde o despertar da responsabilidade em torno da vida, passando a desenvolver todas as possibilidades latentes como condição de herança de Deus no imo de cada ser.

Harmonizando-se as polaridades – duplas, em embrião – e desenvolvendo o *yang* e o *yin* correspondentes à anatomia identificada com a psicologia individual, o emocional-espiritual propiciará compensações futuras em forma de equilíbrio e de paz.

A doença pode, portanto, ter *função psicológica,* sem fator cármico, decorrendo do *doloroso* processo inevitável da evolução.

Buscando a identificação fraternal uns com os outros homens – *Lei de Amor* – deve-se tentar o mesmo afeto com os órgãos e, com respeito profundo, consciente da evolução, experimentar o desafio de avançar no rumo da Unidade na qual, por enquanto, o ser se encontra em distonia...

Autodescobrimento: uma busca interior

Todos devem, pois, esforçar-se, para em equilíbrio cooperar a favor do conjunto harmônico, sendo plenos, por sua vez, em si mesmos.

REALIDADE E ILUSÃO

O problema da interpretação da realidade mais avulta quanto melhor se penetra na estrutura das coisas.

A visão inicial, objetiva, capta a imagem do *capricho dos átomos,* aquilo que eles expressam sob a força da aglutinação de suas partículas. À medida que se recorrem às lentes de grande alcance, vai mudando a aparência até lograr-se detectar os espaços subatômicos, onde se movimentam as partículas...

No campo psicológico dá-se o mesmo fenômeno. Sob a *máscara* da personalidade, encontram-se expressões insuspeitáveis da realidade, que somente a largo tempo e com o auxílio das *lentes* da percepção profunda se consegue identificar.

A criatura humana é um complexo de expressões que se alternam conforme as circunstâncias e se exteriorizam de acordo com os acontecimentos que penetram nas aparências, desvelando a realidade em cada indivíduo. Mesmo essa, periodicamente, cede a outras mais significativas, que se encontram adormecidas e despertam ampliando o seu campo de manifestação, até sobrepor-se predominando e desvelando o ser legítimo.

Na larga viagem da evolução, o Espírito assume inumeráveis expressões comportamentais que lhe imprimem características, a princípio inconscientemente, para em caráter de lucidez burilá-las e ultrapassá-las, qual foco irradiante de luz, momentaneamente velada por uma lâmina de vidro embaçada, que se libertou da película impeditiva.

As experiências da evolução propõem a fixação dos valores legítimos – aqueles que são de duração permanente – enquanto os secundários, que são transitórios, servem apenas como recurso pedagógico para a aprendizagem.

Essas manifestações, que defluem das heranças perturbadoras, formam o quadro dos transtornos psicológicos e outros, que maceram o ser e o levam a estados de angústia, de inquietação, de desordem mental...

Na raiz, portanto, de qualquer transtorno neurótico jaz um conflito moral.

O grande desafio, no processo da seleção de valores, constitui a identificação de quais comportamentos éticos e morais são os recomendáveis.

Uma imensa gama de preconceitos criou uma rede de conceituações hipócritas, que confundem os códigos sociais com os morais, deixando campo para escapismos e justificativas diante de algumas atitudes, assim como geradores de *consciência de culpa* em outras.

Tal comportamento social tem gerado reflexões que concluem por condutas cínicas, nas quais, pela ausência de padrões corretos, universais, ensejam o desvario, a agressividade, o pessimismo, a anarquia...

Podemos, porém, estabelecer parâmetros para a identificação dos valores éticos de maneira simples e inequívoca: são eles saudáveis em todas as culturas, aceitos e recomendáveis, classificados como expressão do bem, pelos resultados positivos que propiciam. Aqueloutros, os que são reprocháveis pelos danos que ocasionam, em todo lugar têm a mesma figuração, considerados, desse modo, perniciosos, portanto, negativos.

Autodescobrimento: uma busca interior

A ação do bem em favor de si mesmo, do grupo social e da comunidade, tendo em vista todos os seres sencientes, constitui um princípio ético imbatível, porque fruto do amor, do respeito à lei natural vigente em toda parte.

Tudo quanto se considera virtude faz parte desse valor ético e dessa moral, que trabalham o ser profundo e o estimulam ao crescimento, ao desdobramento das potencialidades adormecidas.

Da mesma forma, o primarismo e suas manifestações egoístas, quais a perversidade, o desamor, a traição, o ódio, o orgulho e todas as mazelas que perturbam o ser, após a sensação de prazer momentâneo que o ilude, são atitudes prejudiciais, desprezadas por todas as mentes lúcidas e laboriosas, encarregadas do processo de crescimento da Humanidade.

Esses paradigmas oferecem ao ser inteligente os meios para alcançar a realidade, superando a ilusão, porquanto portadores das estruturas permanentes do bem-estar, da paz, da autorrealização.

Nessa seleção de valores surge a questão do julgamento, a análise de qual conduta adotar durante os fenômenos da evolução humana.

A face do prazer embriagador fascina e emula ao gozo, do qual se desperta com tédio, frustração, por efeito da transitoriedade de que se faz intermediário.

Colocando-se a felicidade na satisfação das necessidades fisiológicas e sociais, é inevitável que o despertar seja sempre deprimente, cansativo, destituído de significação real.

Por isso, jornadeiam de uma para outra satisfação as multidões em aturdimento, sempre sedentas de novas experiências, de novos gozos.

O despertar das emoções elevadas elege outra gama de alegrias interiores, que se expressam em júbilos profundos, compensadores, que plenificam, emulando a novas conquistas iluminativas.

A vida psicológica, na busca da realidade, tem como suporte a conduta moral sem conflito, consciente da responsabilidade.

Seguindo um natural processo de superação dos atavismos primitivos, surgem patamares que se vão conquistando, logrando novos descortinos sempre ascensionais.

Cabe ao ser humano, fadado à realidade, superar os obstáculos e superar-se, descobrindo as finalidades existenciais e raciocinando em termos de vida plena, constante, de sabor eterno, iniciar e prosseguir no autoencontro, mantendo a serenidade no curso da evolução.

Diante de um equívoco, de um fracasso, entesoure-se a experiência e recomece-se o tentame.

A realidade profunda jaz sob a personalidade do ser em trânsito, ainda mergulhado na ilusão, a um passo, certamente, da decisão de conquistá-la e ser feliz.

FORÇA CRIADORA

No inevitável processo da evolução do ser, o despertar da consciência abre-lhe as percepções para a realidade de si mesmo, e o consequente entendimento dos objetivos da existência corporal.

Imediatamente, a necessidade do autoconhecimento constitui-lhe um desafio que deve ser vencido a esforço tenaz, porquanto lhe propiciará a identificação dos recursos intelecto-morais disponíveis e dos prejuízos comportamen-

Autodescobrimento: uma busca interior

tais que decorrem dos vícios e paixões primitivas, remanescentes dos níveis de *sono* e de indiferença ora ultrapassados.

Conhecidos os próprios limites íntimos e as ricas possibilidades diante de si, ampliam-se os horizontes do discernimento e as opções pela libertação dos atavismos perniciosos, ensejando-o avançar, mesmo sob a imposição de sacrifícios.

Afinal, sacrificar-se pelo bem e pela plenitude é uma preferência feliz, já que o sofrimento resultante constitui experiência valiosa para novas e futuras realizações.

Avaliados os obstáculos impeditivos ao crescimento íntimo, fácil se torna investir coragem e decisão, a fim de extirpar a carga de inferioridade que, por sua vez, embora proporcione sensações de prazer, também fomenta infortúnio, insatisfação, ansiedade, tormento – sofrimentos, pois, inecessários, por serem destituídos de valor, de edificação real.

Nesse empenho, ressumam os resíduos enfermiços decorrentes das fixações perversas, que o idealismo purifica mediante novos contingentes mentais de concentração e esperança nas virtudes.

A resolução para o autoconhecimento faz-se acompanhar do desejo de transmutar os sentimentos servis em emoções sutis, que compensam a ausência dos choques de brutalidade, dos anelos que se concentram na região do baixo ventre, sincronizados na área sacral.

Transmutando as energias deletérias em outras carregadas de aspirações criativas – reprodução biológica consciente e responsável, arte, cultura, ação enobrecedora – o ser *diafaniza-se,* saindo dos impulsos da animalidade para as conquistas da angelitude.

Durante esses comenos, na luta que se trava, a seiva do amor passa a nutrir com vigor o candidato, tornando-

-se-lhe, quando canalizada para as finalidades santifica-doras, o recurso mantenedor das aspirações ditosas.

Na sua primeira manifestação, o amor deflui do instinto da posse, do uso do prazer egoísta, atravessando um período de inferioridade, não obstante, rompendo as algemas nas quais se ergastula, para alterar o conteúdo que exterioriza e vai sublimando.

Na sua expressão de primarismo ele é todo sensação impetuosa, na qual a satisfação dos instintos torna-se meta a alcançar, aí permanecendo o tempo que corresponda à conquista da lucidez, ao despertar da consciência, que então elege outras expressões de felicidade, mais consentâneas com a paz, fora do vaivém do gozo-cansaço, prazer-arrependimento, satisfação-frustração, incessante tormento.

Duas circunstâncias propelem a criatura ao avanço iluminativo: a insatisfação sistemática, que passa a considerar outras formas de bem-estar – amizade, serviço fraternal, interesse comunitário –, ensejando o abandono paulatino dos velhos e arraigados hábitos para as novas experiências da solidariedade, do progresso do grupo social, da beleza. O segundo instrumento propiciador do avanço é a reencarnação, na qual os impulsos de crescimento espiritual – após o cansaço nos patamares da perturbação – propelem para a vivência dos princípios morais e as transmutações pessoais, intransferíveis.

Nesse estágio medial do amor, robustecem-se os impulsos de elevação e ele se espraia sem exigência, todo doação, semelhante a um perfume no ar, cuja origem permanece desconhecida.

A fase superior é assinalada pela paz íntima, que não necessita de retribuição, nem se entorpece sob as chuvas da ingratidão.

Autodescobrimento: uma busca interior

Enternecedor, torna-se agente anônimo da felicidade dos outros, porque está enriquecido da harmonia geradora de emoções transcendentes, que dispensam o contato físico, a presença, a relação interpessoal.

O amor é o poder criador mais vigoroso de que se tem notícia no mundo. Seu vigor é responsável pelas obras grandiosas da Humanidade.

Na raiz das realizações dignificadoras, ele se encontra presente, delineando os projetos e impulsionando os idealistas à sua execução.

Alenta o indivíduo, impulsiona-o para frente e faz-se refúgio para a vitória sobre as dificuldades.

No amadurecimento psicológico do ser, ei-lo (o amor) direcionando todos os ideais e sustentando, em todos os embates, aquele que lhe permite desabrochar, qual lótus esplendente sobre as águas turvas e paradas do charco no qual pousa em triunfo...

A sua irradiação acalma, dulcifica, sustenta, porque se origina em Deus, a Fonte Geradora da Vida.

Nas faixas iniciais do seu desenvolvimento, pede socorro, enquanto afirma que o oferece; deseja receber, embora aparente contribuir; quer satisfazer-se sempre, não obstante dê a impressão de agradar...

Trabalhado pela consciência, torna-se equânime, dando e recebendo; espraiando-se e recolhendo; permutando...

Por fim, alcança a plenitude criadora e esquece-se de si mesmo, para atender, iluminar e seguir adiante.

Sem essa força criadora instalada na consciência lúcida de quem não se autodescobre, a permanência nas paixões anestesiantes e no jogo forte dos instintos é imperativa.

Todo o curso da evolução (tomada de consciência) tem como estrutura o autoconhecimento – que proporciona o autoamor –, passo decisivo para que essa força criadora desabroche com todas as potências que lhe são pertinentes.

Sob o seu pálio, o sofrimento se descaracteriza e perde o conteúdo atormentante que o assinala, passando a ser um *élan* de alegria e de felicidade.

São Francisco de Assis, amando, não se dava conta dos problemas orgânicos que nele se instalaram.

Santa Josefa Menéndez, amando, superava as perseguições espirituais que tentavam martirizá-la, perseverando alegre e confiante na libertação pela morte.

Os grandes e amorosos missionários do mundo jamais se deram conta das doenças, perseguições e conflitos geradores de sofrimentos, que recebiam como estímulos para prosseguirem.

Além deles, milhões de pessoas anônimas que alcançaram a maturidade psicológica – a consciência desperta – entregam-se ao nobre afã, sem interesse de retribuição ou de aplauso, profundamente pacificadas pela força criadora máxima, que é o amor.

6
Equilíbrio e saúde

Programa de saúde • Transtornos
comportamentais • Terapia da esperança
• Plenitude! – A meta

Programa de saúde

O apóstolo Paulo, com admirável acuidade psicológica, advertiu: – *Não vos enganeis. As más companhias corrompem os bons costumes.*[1] E certamente perturbam o sistema emocional, contribuindo para distúrbios variados na organização fisiopsíquica de quem as cultiva.

Sendo a mente a fonte de onde procedem as más conversações, ela exterioriza, simultaneamente, ondas de animosidade, que desarmonizam os equipamentos sensíveis pelos quais se manifestam.

As altas cargas magnéticas negativas, pelo suceder da ocorrência, desajustam os controles nervosos, gerando distonias da percepção, que passa a identificar somente o lado negativo das pessoas e coisas, com o qual sintoniza.

O vício mental das conversações vulgares, licenciosas, enseja desequilíbrio na área da saúde, produzindo perturbações gástricas e hepáticas, como consequência das tensões

---

[1] I Coríntios, 15: 33 (nota da autora espiritual).

e fixações mentais, que facultam a produção irregular de substâncias componentes da digestão, bem como exagerada secreção biliar... Ao mesmo tempo, alteram o humor, favorecendo o pessimismo, o derrotismo e a depressão.

A proposta da terapia do amor estabelece, como ponto de partida, a preservação ético-moral do indivíduo perante si mesmo, com a consequente valorização das suas capacidades de discernimento e de ação.

Discernimento sobre o que deve e pode fazer, não se permitindo eleger o que agrada, mas não deve, ou aquilo que deve, porém não convém executar.

Imediatamente após a descoberta de como proceder, passar à atividade tranquila, sem os choques da emoção descontrolada.

Posteriormente, examinar os recursos para a preservação da sua realidade (como indivíduo eterno), resguardando o corpo das altas tensões e sensações desgastantes, das emoções violentas, a fim de que o mesmo possa preencher a finalidade da reencarnação do Espírito, para a qual foi elaborado.

Nesse cometimento, são relevantes os cuidados com a conduta mental e moral, poupando-se das descargas contínuas dos desejos infrenes, superando, mesmo que a pouco e pouco, os impulsos inferiores, enquanto disciplina a vontade por meio dos exercícios de paciência e de perseverança.

Descortina-se, então, nessa paisagem terapêutica, o autoamor profundo, com objetivos amplos de estendê-lo ao próximo através de serviços imediatos, construindo a sociedade saudável e feliz.

Assim, preservar o corpo do uso de alcoólicos e das intoxicações pelo tabaco, bem como por quaisquer outras drogas alucinógenas, aditivas, prolongando-lhe a existência.

Ao mesmo tempo, evitar sobrecarregá-lo de alimentos pesados e gordurosos, de assimilação e digestão difíceis, de modo a facultar-lhe reações automáticas equilibradas.

É claro que a contribuição mental faz-se relevante, por daí procederem as ordens de comando e as diretrizes de comportamento, conseguindo-se a harmonia entre o pensamento e a ação.

Pensar de maneira salutar é compromisso valioso para gerar otimismo e paz, iniciando o programa das ações corretas que dão nascimento aos hábitos responsáveis pela *segunda natureza* do ser, isto é, outra *natureza* interpenetrada na própria natureza.

Desse modo procedendo, as horas de ação se tornarão agradáveis, sem os excessos do cansaço ou a presença da irritação, e as de repouso se farão assinalar pela tranquilidade refazente, que recompõe as despesas dos momentos de vigília.

Tudo quanto se tenha de fazer, pensar antes, delineando um programa cuidadoso, no qual o improviso não tenha lugar, tampouco o arrependimento tardio.

Quem se equipa de cuidados, erra menos. Quem estabelece roteiros e segue-os, acerta mais.

Tal programação estatuirá a necessidade de pensar com retidão, mesmo quando as circunstâncias e pessoas sugiram outra forma, imediatista e infeliz, portanto favorecedora da consciência de culpa.

Cultivar a confiança e a alegria no trato com os demais membros da sociedade – iniciando no lar –, embora as defecções morais e os embates traiçoeiros do momento, a que todos estão sujeitos.

Irradiar simpatia e esperança, produzindo uma aura de paz que alenta e agrada a todos.

Usar a conversação como elemento catalisador de novas ideias de enobrecimento e de ventura, que estimulam a criatividade, a coragem, a perseverança no bem.

Banir, quanto possível, do comportamento, a crítica ácida e destrutiva, os conceitos chulos quão irresponsáveis, as diatribes e os verbetes sarcásticos, que *envenenam* o coração e *enfermam* a alma, transferindo-se pelos condutos do perispírito para o corpo, em delicadas como complexas patologias orgânicas...

Respeitar e, ao mesmo tempo, conduzir o corpo com moderação em quaisquer eventos, poupando-o aos costumes promíscuos, bem como aos relacionamentos sexuais e afetivos perturbadores, ora muito em voga.

Manter os requisitos da higiene, superando os imperativos da preguiça mental e física, assim criando e preservando os hábitos sadios.

Recorrer à oração, qual sedento no rumo da Fonte Vitalizadora, sustentando o Espírito e refrigerando-se na paz.

Meditar em silêncio, a fim de absorver a resposta divina e capacitar-se dos conteúdos da inspiração para alcançar as metas essenciais da existência.

Preservar a paz, mesmo que a alto preço, estimulando-a em todos quantos o cerquem.

A verdadeira saúde não se restringe apenas à harmonia e ao funcionamento dos órgãos, possuindo maior extensão, que abrange a serenidade íntima, o equilíbrio emocional e as aspirações estéticas, artísticas, culturais, religiosas.

Pode-se estar pleno, embora com alguma dificuldade orgânica – que será reparada do interior (mediante a ação mental bem direcionada) para o exterior (o reequilíbrio, a

Autodescobrimento: uma busca interior

restauração das células e do órgão afetado) –, como encontrar-se em ordem, porém, sem equilíbrio emocional.

Assim, pensar bem e corretamente permanece como primeiro item de um bem estruturado programa de saúde, a fim de que as palavras, na *conversação,* não *corrompam os costumes,* ensejando ações estimulantes e edificadoras para o bem geral.

Transtornos comportamentais

Na gênese profunda dos transtornos de comportamento da criatura humana, forçoso é reconhecer a ação poderosa da hereditariedade, destacando-se como causa endógena de gravidade. Além dela, anotamos as que se derivam do quimismo cerebral em desconserto, ao lado de outros fatores que se apresentam como sequelas de enfermidades infecciosas, de distúrbios psicossociais, socioeconômicos, do inter-relacionamento pessoal, de traumatismos cranianos, etc.

Certamente, todos eles encontram campo propício na *fragilidade* da personalidade que se desarmoniza, cedendo espaço mental a fixações negativas, obsessivo-compulsivas, fóbicas, depressivas, que se manifestam em formas neuróticas ou psiconeuróticas.

Aprofundando, porém, a sonda da pesquisa no ser, vê-lo-emos enfraquecido pelos efeitos da conduta ancestral reprochável, quando das experiências evolutivas em reencarnações passadas. O trânsito pelas vias do progresso, onde ele evolui passando do instinto à razão e desta à intuição, é largo, decorrendo, cada etapa, dos logros da anterior, em que armazena conhecimentos e sentimentos, os quais contribuem para a marcha ascensional, ao mesmo tempo desenvolvendo-lhe as aptidões que dormem latentes no mundo íntimo. Fadado à perfeição, na consciência está *impresso* o código dos deveres que lhe estabelecem as diretrizes de comportamento. Violadas essas linhas éticas, automatismos de consciência ultrajada impõem-lhe ressarcimento do que esbanjou, recuperação do patrimônio moral malbaratado, recomeço da atividade que necessita de reeducação...

É natural que o processo de reencarnação encontre nos genes e cromossomas as matrizes fixadoras das necessidades de reparação da criatura, renascendo em clãs que lhe propiciarão, pelo mapa genético, os recursos orgânicos para o desiderato.

O perispírito modela o organismo de que o Espírito tem necessidade, equipando-o com os neurotransmissores cerebrais capazes de refletir os fenômenos-resgate indispensáveis para o equilíbrio.

Dessa forma, cada ser em desenvolvimento na Terra possui o corpo que lhe é necessário para a evolução.

A maneira como se conduza – exceção feita nos processos psiconeuróticos graves, quais o autismo, a esquizofrenia e outros equivalentes – responderá pela recuperação da saúde mental, ou permanência na alienação, ou agravamento da mazela.

Nunca se deve esquecer que qualquer indivíduo incurso em transtornos psíquicos de comportamento, como ocorre em outras problemáticas geradoras de sofrimentos, é o devedor em processo de resgate, é consciência culpada que busca tranquilidade.

Para serem bem sucedidos, os mecanismos terapêuticos deverão alcançar o ser real, espiritual, propondo-lhe mudança de atitude interior e conduta mental, desse modo renovando-se, dispondo-se ao prosseguimento de uma existência útil.

Autodescobrimento: uma busca interior

Caso contrário, as recidivas contínuas levarão o paciente à deterioração psicológica com a irreversibilidade patológica.

Considerando-se o transtorno psíquico como de procedência do ser profundo, deve-se examinar o comportamento das pessoas que lhe foram vítimas, que se lhe fizeram corifeus ou participaram das veleidades nefastas, e teremos um quadro obsessivo, derivado daquelas mentes em desalinho, interagindo sobre a consciência culpada do reencarnado...

As descargas mentais odientas penetram nas correntes nervosas dos neurotransmissores e estimulam a eliminação de *substâncias* excessivas ou provocam alterações escassas, significativas nos processos psicopatológicos.

Além disso, nos momentos de parcial desprendimento pelo sono, o enfermo, subentenda-se o devedor, reencontra suas vítimas, seus comparsas, e foge para o corpo, transformando as lembranças infelizes em expressões de pavor, que transfere para os estados de agorafobia, de compulsão obsessiva e outros.

Reminiscências do sepultamento em vida – por estado cataléptico não diagnosticado – geram mecanismos claustrofóbicos aterrorizantes, alterando profundamente o comportamento do ser.

Ademais, em face do nível de culpa, abrem-se as comportas da percepção e o paciente experimenta a captação de mensagens telepáticas dos adversários espirituais, aumentando-lhe o pânico íntimo, o distúrbio mental em relação ao equilíbrio, à realidade objetiva. Perde o direcionamento da conduta, o discernimento claro, as medidas do racional, e derrapa na alienação, que o afasta do processo mantenedor da experiência evolutiva.

Sem desconsiderar as causas geradoras dos transtornos comportamentais, tradicionalmente adotadas pelas ciências psíquicas, não se podem descartar as de natureza espiritual, que existem no paciente por imposição do fenômeno da reencarnação, como dos Espíritos desencarnados, que se lhe vinculam através da sintonia vibratória que decorre dos processos de desvario cometidos entre eles.

Em qualquer manifestação alienadora, quando causas endógenas ou exógenas são convocadas para a sua gênese, o ser espiritual é o responsável pela problemática, encontrando-se em processo de evolução moral, carecendo, porém, de ajuda afetuosa e dos contributos da Ciência e do Espiritismo para a conveniente erradicação do mal, através das terapias próprias e da renovação interior, passo decisivo para a sua recuperação.

Terapia da esperança

O predomínio do *ego* nos relacionamentos humanos, responde pelas incessantes frustrações e desequilíbrios outros, que assinalam a criatura humana.

Sem a correspondente consciência lúcida em torno dos objetivos da existência carnal, o indivíduo que assim age faz-se vítima da personalidade enfermiça a que se acostumou, como método de triunfo nos seus cometimentos.

Considerando que o inter-relacionamento pessoal é uma arte de dissimular sentimentos, afivela a máscara correspondente a cada momento e varia conforme as circunstâncias, ocasiões e pessoas com as quais se comunica.

Acostumando-se à aparência, desloca-se da realidade, passando a viver inseguro nas armadilhas que prepara com o objetivo de não se permitir identificar.

Observando a conduta das pessoas inconsequentes que, às vezes, triunfam por meios dos recursos da fantasia e da bajulação, passa a imitá-las, deixando-se conduzir pelos absurdos comportamentos, distantes da realidade e do dever.

Estabelecem-se então conflitos íntimos, e a escala de valores padece a perda do significado, desaparecendo os parâmetros para a compreensão, tanto do que é certo como daquilo que é errado.

Superados os momentos de convívio no *baile de máscaras* a que se reduzem os seus encontros sociais, a identificação da pusilanimidade propõe-lhe o desrespeito por si mesmo, a perda da autoestima, o transtorno de comportamento neurótico.

Novamente chamado à convivência social, oculta o estado interior legítimo e volve à dissimulação.

Indispensável que o *Self* predomine desperto no indivíduo, contribuindo para a sua realização, segurança e plenitude.

Embora a maioria expressiva de indivíduos prefira o *jogo* das personalidades, não é possível ignorar a prevalência do sofrimento disso decorrente. Negam-se a verdade, recusam autoencontro, fogem do despertar dos valores que se acham adormecidos e sucumbem.

Narram que um homem sábio dispôs-se a transmitir os seus conhecimentos, reunindo à sua volta inúmeros interessados.

À medida que as aulas se sucediam, decrescia o número dos candidatos ao aprendizado, ao ponto de, em pouco tempo, haver ficado apenas um.

Disse-lhe, então, o mestre:

– Somente prosseguirei se houver um número maior de discípulos.

Interessado em aprender, o candidato recorreu aos desertores e instou para que voltassem, o que redundou em total fracasso.

Ele meditou longamente e tomou a decisão de levar à aula vários manequins vestidos, que conseguiu em uma casa comercial. Colocou-os na sala e convidou o mestre para retornar às lições.

Surpreso, ele respondeu:

– Todos esses bonecos são incapazes de entender-me. São apenas bonecos...

– Isso mesmo – esclareceu o adepto, imperturbável. Eles representam aqueles que se foram e que, mesmo quando aqui estavam, eram mortos, sem interesse. As vossas aulas eram-lhes muito profundas e eles não as queriam, mas eu estou interessado nelas, apenas eu.

Sensibilizado, o sábio dele fez o aprendiz ideal que se lhe tornou continuador das experiências.

O mesmo acontece nos *palcos* da sociedade hodierna, de alguma forma geradora de distúrbios psicológicos no comportamento dos *atores* que se apresentam nos dramas, nas tragédias, nas comédias do cotidiano.

A ocorrência torna-se tão predominante que somente os *caracteres fortes* conseguem aprofundar a busca da sua realidade, descobrindo-se, autoencontrando-se. Adotam um comportamento de autenticidade, preferindo seguir uma linha direcional de coerentes atitudes, à variação contínua, instabilizadora, perturbante.

Enquanto o candidato ao equilíbrio não abdique dos métodos equivocados em vigência, assumindo-se e exteriorizando-se como é, permanecerá no ledo engano neurotizante. Sejam quais foram as análises e tratamentos que busque, toda vez que enfrente o grupo social fugirá para o disfarce, para o uso da *persona*.

A identificação dos objetivos da vida faculta os estímulos para o prosseguimento da busca de autenticidade, de realização. Sabe que o corpo é indumentária transitória e com esse conhecimento descortina o futuro, para o qual segue com firmeza. Adquire confiança em si mesmo e no porvir, passando a antecipá-lo desde agora, usando o bom ânimo, a coragem na luta, o sorriso de bem-estar.

Passa a ter a inteireza moral de não valorizar em demasia as pequenas ocorrências, os insucessos aparentes e ri de si mesmo com otimismo, enfrentando os obstáculos com os estímulos que o levam a transpô-los.

Certamente que, ao retirar o personalismo dos seus atos e a dissimulação do seu comportamento alienante, não pretende chocar ou agredir as demais pessoas. Somente deseja ser íntegro, jovial, vulnerável, apresentando-se como pessoa, que busca outras pessoas em relacionamento social saudável, enriquecedor, pleno de esperanças.

Toma Jesus como o seu Psicoterapeuta ideal e deixa que brilhe a luz nele escondida, com o que se torna livre e sadio.

PLENITUDE! – A META

O homem e a mulher, conscientes das responsabilidades que lhes dizem respeito, estabelecem metas de realizações que passam a conquistar, a pouco e pouco, promovendo-se no processo da evolução.

À medida que galgam um patamar, logo outro se apresenta, atraente e desafiador, constituindo-se um renovado, incessante estímulo ao desenvolvimento das potencialidades adormecidas.

Em razão disso, apresentam-se-lhes metas educacionais, familiares, sociais, econômicas, artísticas, espirituais. Esse elenco de aspirações compõe o quadro das conquistas a serem logradas, mediante o desempenho lúcido de cada uma, superando os óbices que surgem como fenômenos impeditivos.

Qualquer ascensão exige esforço, assim como toda mudança propõe ampliação ou renovação de *paradigma*. As grandes conquistas da Humanidade firmaram-se mediante a superação dos *paradigmas* então vigentes, fixando-se pelos valores de que se constituíram, com caráter propulsionador do progresso.

A mudança de um *paradigma* aceito por outro desconhecido produz reações que equivalem ao prazer de preservar os valores estabelecidos nos moldes em que se apresentam. De um lado, a reação procede da acomodação dos que se beneficiam deles e, do outro, do esforço que propõe para a renovação, alterando a paisagem emocional e cultural retrógrada que teima por permanecer.

Essa mudança que se faz com frequência, notada ou não, são as metas da sociedade progressista, que se operam por força das próprias conquistas.

O conhecimento – a cultura e as conquistas tecnológicas da Humanidade – no momento duplica-se a cada quatro anos, constituindo-se um imperativo pesado, para a criatura, acompanhar e assimilar as novas informações. No entan-

Autodescobrimento: uma busca interior

to, no limiar do próximo milênio, essas aquisições serão de tal monta que se fará a duplicação em apenas vinte meses.

Ocorre, então, que o homem e a mulher, que se não renovem e se não adaptem ao processo da evolução, ficarão ultrapassados, permanecendo *obsoletos.*

Faz-se necessária a coragem de os indivíduos, no contínuo desafio da evolução, periodicamente, reciclarem-se, reconhecendo-se ultrapassados no contexto da sociedade, ora eminentemente tecnicista e imediatista.

As metas humanas, por isso mesmo, devem apresentar-se multifacetadas, para que as realizações morais – metas relevantes – evitem a desumanização, a robotização do ser.

Constituída de implementos psicológicos que lhe regem a vida, a criatura humana necessita da adequação de suas metas aos valores espirituais, que ultrapassam os limites-barreiras corporais, ajudando-a no encontro da consciência transcendental.

Num primeiro momento, como é natural, as metas educacionais formarão o seu cabedal de conhecimento; as familiares ensejarão a aprendizagem no laboratório doméstico, desenvolvendo os sentimentos do amor, do inter-relacionamento pessoal; as sociais ampliarão o círculo da afetividade, favorecendo o crescimento do grupo; as econômicas fomentarão o equilíbrio financeiro e a harmonia entre as pessoas; as artísticas contribuirão para o belo, o estético, o estésico, o ideal; as espirituais, no entanto, coroarão as realizações do processo evolutivo, levando à plenitude.

Não raro, conquistada a primeira meta, se o homem e a mulher não forem lúcidos para perceberem estar ensaiando os futuros passos no rumo da sua realização plenificadora, logo mais se descobrirão saturados, desmotivados de novas incursões, descambando no pessimismo, na frustração.

A incessante renovação dos valores para melhor torna-se motivação permanente para a estruturação do ser real, profundo, vitorioso sobre si mesmo.

As metas humanas, imediatas, são estimuladoras para a existência terrestre, a corporal. Quando acrescidas pela identificação com a Consciência Cósmica, permanecem como força propulsora para o progresso sem limite.

O homem e a mulher triunfadores, aos olhos do mundo, talvez sejam aqueles que brilham na Terra, que galgam os degraus do êxito ilusório, às vezes com o coração pejado de angústias e o Espírito ralado de dores.

Somente aqueles que se libertam e amam, após atravessarem as dificuldades e ultrapassarem as metas iniciais do processo terrestre – social, familiar, pessoal –, permanecendo voltados para o bem geral e transformados interiormente, assim como iluminados pela chama da imortalidade, nela mergulhados pela própria causalidade, fruirão da real plenitude – que é a meta essencial.

7

O SER SUBCONSCIENTE

COMPUTAÇÃO CEREBRAL • RECICLAGEM DO
SUBCONSCIENTE • SUBCONSCIENTE E SONHOS

COMPUTAÇÃO CEREBRAL

O cérebro humano pode ser comparado a um computador especial de elevados recursos e intrincados mecanismos, que escapam à mais sofisticada tecnologia, para penetrá-lo integralmente.

Registrando a *mente* e transformando-a em pensamentos dedutivos, pela razão e lógica que partem de um caso específico para a elaboração de uma teoria, e indutivos, quando crescem de uma teoria para um caso específico, as ideias ficam *digitadas* nos sensores do subconsciente antes de se fixarem nos substratos do inconsciente profundo.

Em razão disso, o hábito de pensar desenvolve-lhe as possibilidades do entendimento especialmente pela decorrência das ideias elaboradas.

Todos os conteúdos psíquicos que não podem ser apreendidos e catalogados pela consciência lúcida compõem o subconsciente. Inúmeros deles permanecem na condição de recalques que, não obstante, liberam-se em condições especiais.

É uma parte do subconsciente responsável pela memória, pela vida psíquica e sentimental, que elabora os padrões do comportamento social e moral. Normalmente aflora nos estados oníricos, cuja ação é preponderante, e nos transtornos neuróticos que resultam das suas fixações perturbadoras.

Conforme as preferências mentais, os alicerces do subconsciente são compostos dos mais frequentes padrões de pensamentos, que estabelecem a conduta do indivíduo, por ser essa de relevante importância no seu relacionamento interpessoal, como na sua vivência existencial.

Enfermidades fisiológicas, resultantes da somatização dos transtornos psicológicos, assim como bem-estar, alegria de viver, ou pessimismo, angústia encontram-se ínsitos nos painéis do subconsciente, de onde emergem, então, para que predominem na experiência humana como saúde ou doença, felicidade ou amargura.

Exceção feita aos gravames cármicos, as problemáticas da vida humana invariavelmente são cultivadas e arquivadas ao longo da reencarnação, passando a expressar-se de acordo com a eleição dos tipos de ideias selecionadas.

Igualmente, na área das patologias degenerativas, resultantes de germes, micróbios vários e vírus destrutivos, encontramos os fatores predisponentes para a sua proliferação nos *desejos subconscientes* de que não se liberou realmente o enfermo, embora no campo da consciência exteriorize o *desejo* de adquirir saúde e harmonia.

É normal que se almejem o êxito, a fortuna, o sucesso nos empreendimentos, o progresso cultural e artístico, o interesse de trabalhar, não raro fracassando nos tentames.

Autodescobrimento: uma busca interior

Ante o insucesso, descoroçoando-se, afirma-se que se é portador de vontade débil ou se é vítima do infortúnio, do destino ingrato, entregando-se ao malogro aparente.

Em verdade, o empenho pessoal começa no plano do desejo mental, prosseguindo nas tentativas que geram o hábito de realizá-lo, tornando-se parte integrante da própria natureza por fixação automática.

O infortúnio é resultado das ações negativas ou dos comportamentos enfermiços que predominam nos arquivos do subconsciente que, por sua vez, conspira com firmeza contra as aspirações novas, inabituais, vencendo-as.

Cada um elabora o próprio programa de sucesso ou fracasso, mediante atitudes que se transformam em bases de segurança da existência, irradiando os seus conteúdos psíquicos conforme as qualidades vibratórias de que se constituem.

Não basta, portanto, anelar por esta ou aquela conquista. Torna-se imprescindível insistir e perseverar, de forma que a potência da ideia inusitada predomine sobre as que se encontram arquivadas comandando os acontecimentos.

Considere-se uma emissão sonora persistente em fracos decibéis, no entanto, audíveis. Se ao mesmo tempo forem emitidas outras ondas mais altas e volumosas, ei-las que se sobreporão às anteriores, anulando-as e, por efeito, destacando-se na acústica dos ouvintes.

O processo de aquisição dos valores elevados é de curso longo, bem elaborado, com frequência e bom direcionamento, a fim de alcançar-se o êxito pretendido.

Assim sendo, quem deseje a paz e anele pela saúde, pelo equilíbrio, pelo sucesso, não cesse de autoinduzir-se, cultivando os pensamentos vitalizadores das aspirações até anular aqueles que se encontram nos arquivos do subconsciente, que passará a exteriorizar-se com os conteúdos correspondentes da atualidade, das novas fixações psíquicas e emocionais.

Para que se consume o triunfo do empreendimento, o auxílio divino faz-se presente no próprio aspirante à felicidade, que o deve desenvolver. Esse apoio não prescinde do esforço de cada pretendente à autorrealização.

Narra-se que um religioso ao ver uma área verdejante e produtiva de grãos, recamada de flores e prosperidade, entusiasmando-se, disse ao agricultor: – Que bela gleba Deus lhe ofereceu!

Olhando em derredor, o homem, com as mãos calosas, queimado de sol, respondeu-lhe com naturalidade:

– O senhor necessitava ver como era antes, quando Ele dela cuidava sozinho.

A criatura humana possui os potenciais íntimos para a plenitude, que aguardam ser desvelados, qual gema preciosa que se oculta no cascalho grosseiro.

O cérebro, na sua função de instrumento, reage conforme os imperativos da mente que por ele se exterioriza.

O *Self* prepondera no conjunto, quando lúcido e desperto, fixando nas telas do subconsciente, *viciado* pelas reencarnações infelizes, as aspirações superiores de que se faz portador, na marcha do progresso para a total realização.

O Espírito, portanto, é o agente que *semeia* e *colhe* conforme a qualidade do material que utiliza.

A ascensão é experiência que começa no desejo de elevar-se e, conquista a conquista, sedimenta os impulsos inteligentes, sábios, conseguindo chegar ao patamar anelado da plenificação, ao alcance de todo aquele que o intente consciente e subconscientemente.

RECICLAGEM DO SUBCONSCIENTE

A tendência para guardar coisas é inata na criatura humana e, geralmente, quase coercitiva.

Pensando-se no futuro, armazenam-se objetos, alguns inúteis; medicamentos, que ficam sem validade; roupas e calçados usados, para providências posteriores; papéis e recortes de jornais, de revistas, para serem lidos ou relidos *um dia,* que nunca chega; materiais e ferramentas, que não são utilizados... Em determinada oportunidade, porém, com os móveis abarrotados, os espaços tomados e os guardados sob leves camadas de pó chamam a atenção, e a pessoa vê-se convidada a uma limpeza, uma nova arrumação, eliminando o que é inútil, distribuindo o que pode ser aproveitado, e reservado apenas o que tem aplicação prática. Esse gesto representa uma forma de libertação, de desapego ao secundário, ao que acumulou desnecessariamente, ao sem valor.

É imperiosa, periodicamente, uma atitude enérgica, equivalente, em relação aos depósitos do subconsciente, em favor da autorrealização. Retirar o entulho psíquico torna-se fundamental para uma existência saudável.

Certamente, o passado influencia o presente, e quanto mais seja conscientizado e eliminado de forma coerente e lúcida tanto melhor para a planificação do futuro.

Um discípulo, que tivera a residência com tudo quanto nela havia destruída pelo fogo, queixou-se ao seu mestre da desgraça de que fora objeto.

O sábio, que era um admirável psicanalista nato, respondeu-lhe jovial que agora seria muito mais fácil encarar com naturalidade a morte, pelo imperativo severo do desapego.

Deixar que o *fogo* da lucidez destrua a *residência* das paixões, onde cada um se esconde e onde estão os condimentos neuróticos e as fixações tormentosas, faz-se imprescindível para encarar a existência sem disfarces, com os sentimentos abertos a outros valores, a novas conquistas.

Necessário, portanto, penetrar-se mentalmente, a fim de avaliar as impressões infantis arquivadas, as pessoas-modelo gravadas, os choques não absorvidos, os fantasmas criados pela imaginação e os medos cultivados pela fantasia lúdica, reavaliando-lhes os significados e selecionando-os, de modo a libertar-se de todos aqueles que são afligentes, e preservando as impressões enriquecedoras, aquelas que proporcionam bem-estar. Nessa tarefa cumpre que a ação se faça destituída de autocompaixão, de autocrítica, de autopunição, de autojustificação. Mediante a coragem de quem vislumbra e se dirige para uma meta de segurança, sem saudades do que passou, deve fazer a seleção do material e analisá-lo serenamente, a fim de renovar-se.

Liberando-se dos substratos anestesiantes e perturbadores, deve-se reciclar o subconsciente, preenchendo os espaços com novos elementos portadores de campos de irradiação equilibrada, estimuladora, para avançar na conquista do ser profundo, interior.

Quando o indivíduo quer, ele pode realizar, dependendo dos investimentos que aplica para consegui-lo. O empenho bem-direcionado pelo pensamento objetivo, claro, sem conflito, logra criar futuros condicionamentos através das mensagens que arquiva, restabelecendo no subconsciente o banco de dados que responderá mais tarde com as informações corretas do que lhe seja solicitado.

Utilizando-se da autossugestão, dos recursos mnemônicos positivos, da visualização e da prece, reabastece-se de valores que, hoje arquivados, irão estimular os centros do desenvolvimento psíquico e moral, que ressumarão no futuro como sensações de paz, de claridade mental, de impulsos generosos, de atitudes equilibradas.

Potencial rico de valores, o ser humano é a *imagem* do seu Criador, por possuir a mesma essência imortal, consequentemente os preciosos dons e recursos que levam à perfeição, competindo-lhe, unicamente, desenvolvê-los e aprimorá-los. Na aparência, pode apresentar somente pálidos reflexos deles, no entanto, ao burilar-se, desvelar-se-lhe-ão os inquestionáveis tesouros.

Uma pessoa inexperiente identifica facilmente uma pedra que brilha no meio de outras. Entretanto, um especialista distingue-a e valoriza-a, por ser um diamante que espera apenas a lapidação.

A renovação psíquica e emocional deve ser uma atividade constante e natural, qual ocorre na área dos fenômenos e necessidades fisiológicas, como a alimentação, o repouso, a higiene, a reprodução, em que os *automatismos* subconscientes são acionados e atendidos. Da mesma forma, na área psicológica são necessários novos *automatismos* que possam propelir o ser para os patamares mais elevados e plenificadores, que o estão aguardando.

Subconsciente e sonhos

A complexidade dos sonhos tem merecido dos especialistas na área do psiquismo valiosos investimentos, em contínuas tentativas de interpretá-los. Originados, na sua maioria, na área do subconsciente, revelam mais a respeito do ser humano do que se pode suspeitar em uma análise apressada. Nessa faixa estão arquivadas as memórias dos acontecimentos vividos, quanto daqueles que foram observados desde a infância, liberando-se nos momentos do sono e apresentando-se de formas variadas, inclusive perturbadoras.

Anseios e medos não *digeridos*, ocorrências incompreendidas e palavras como gestos agressivos, educação castradora, interrogações sem respostas, que se transformaram em conflitos da personalidade, prosseguem aguardando esclarecimentos, liberação, que se reapresentam na área dos sonhos. Os mais antigos, porque mais preservados pela maneira repetida como foram arquivados, ressumam com frequência, produzindo estados oníricos tumultuados, apavorantes, que se transformam com o tempo em problemas graves na conduta e nos relacionamentos interpessoais.

Da mesma forma, as impressões agradáveis e salutares, os sucessos e alegrias, as aspirações realizadas e os desejos satisfeitos afloram nos momentos do sono, produzindo agradáveis manifestações em forma de sonhos.

Sem dúvida, em muitos casos, o *Eu superior*, o Espírito, em se deslocando do corpo, realiza viagens e mantém contatos com outros, cujas impressões são registradas pelo cérebro e se reapresentam benéficas, gratificantes, no campo onírico.

A libido igualmente desempenha papel importante nesse campo, em razão dos desejos, das frustrações e dos impulsos sexuais contidos, mal direcionados ou excessivamente liberados.

Tais ocorrências são automáticas, decorrentes de muitos fatores, como a exaltação, o estresse, a depressão, as fobias, os desejos... Todo desejo fortemente acionado libera do

Autodescobrimento: uma busca interior

subconsciente as cargas arquivadas, que retornam ao campo da consciência como sonhos, recordações, memórias...

Saindo das manifestações mecânicas, podem-se programar os sonhos que se deseja ter, assim como evitar aqueles que se fazem apavorantes – os pesadelos.

A questão reside no material pensante que se cultive, armazenando-o nos depósitos do subconsciente, e assumindo o controle dele através de pensamentos e ações conscientes. Porque não tem os recursos da crítica e do discernimento, a sua função é estática, a de guardar todo o material que se dirige ao inconsciente: não pode selecionar o que arquiva, que enquanto aí permanece pode assomar à consciência ou direcionar-se aos registros profundos da inconsciência.

Qualquer tipo de mensagem é aceito, portanto, sem reflexão, sem análise de qualidade.

Detendo o pensamento exclusivamente nesse campo, é possível direcionar as aspirações de maneira produtiva, compensadora, iniciando o tentame na faixa das aspirações.

Conforme se pensa, acumulam-se as memórias, que retornarão aos painéis do conhecimento nos momentos próprios.

Estabelecendo um *programa de sonhos bons*, será possível dar ordens ao subconsciente, ao mesmo tempo racionalizando o material perturbador nele já depositado.

Antes de dormir, cumpre sejam fixadas as ideias agradáveis e positivas, visualizando aquilo com que se deseja sonhar, certamente para tirar proveito útil no processo de crescimento interior, de progresso cultural, intelectual, moral, espiritual.

Será uma conquista ideal o momento, a partir do qual o indivíduo esteja consciente da sua realidade, pensando e agindo de forma lúcida, sem os bloqueios das ilusões, os véus dos medos, as sombras das frustrações que escondem essa realidade.

Ao planejamento da experiência onírica, sucederá uma forma de autossugestão, de enriquecimento, com uma breve leitura salutar, o exame de consciência para liberar-se dos tóxicos dissolventes da ira, da amargura, do ressentimento, asserenando-se e, mediante a oração, entregando-se à Divina Essência Criadora.

Com a sucessiva repetição desses requisitos far-se-ão diluídas as impressões angustiantes e negativas dos processos perturbadores arquivados, que cedem área a esses novos procedimentos. E logo mais, integrados nos alicerces da personalidade, volverão à tona, à consciência, na lucidez, assim como nos sonhos, abrindo possibilidades a intercâmbio com outros Espíritos, que se sentirão atraídos e buscarão transmitir mensagens de conforto, de apoio e de beleza.

A insistência e a qualidade das mensagens responderão pelos resultados a conseguir.

Ninguém espere milagres de ocasião, no que diz respeito à programação da própria vida. Cada qual respira, no clima onde reside, o *ar* que elabora.

A mudança psíquica de uma paisagem perniciosa, para outra de qualidade superior demanda tempo e esforço.

Algumas vezes, durante a reprogramação, ocorrem as invasões das ideias-hábitos, interferindo negativamente e desviando o centro de atenção que se quer preservar.

Amorosamente, deve-se retornar ao pensamento inicial motivador da experiência em desenvolvimento, até criar novos padrões de conduta mental, que se estabelecem naturais, fomentando o equilíbrio psíquico e emocional.

Autodescobrimento: uma busca interior

Dessa forma, poder-se-á, parafraseando o velho brocardo popular, asseverar: – Dize-me o que sonhas e eu te direi quem és e qual futuro terás.

É necessário, portanto, tomar conhecimento da mente, aprofundar recordações, eliminar temores e angústias, corrigir a preferência de modelos, ser positivo, afeiçoando-se ao ético e ao saudável.

Cada um é o construtor da sua realidade, afirmando-se e desembaraçando-se das amarras prejudiciais a que se deixou atar.

Esse trabalho de libertação tem início no pensamento, sob a ação do desejo continuado, vitalizado pela certeza do êxito próximo.

Para superação dos limites, autossatisfação e realizações felizes, é que o Espírito se reencarna na Terra, crescendo a esforço pessoal com tenacidade e valor moral.

8

SICÁRIOS DA ALMA

O PASSADO • INCERTEZA DO FUTURO
• DESCONHECIMENTO DE SI MESMO

O PASSADO

Habitualmente, a pessoa que se equivocou lamenta a ocorrência, o passado, ou faz uma *consciência de culpa*, afligindo-se, perturbando-se.

O passado, porém, já aconteceu e os seus alicerces não podem ser ignorados, nem evitados. Cabe a cada um diluí--los, erradicá-los.

Uma análise tranquila das ocorrências infelizes desperta a consciência para encontrar meios de diminuir-lhes as consequências, criando condições propiciatórias para um futuro mais equilibrado, através das oportunidades e realizações presentes.

A cada instante se podem produzir fenômenos salutares, que se alongarão em cadeia de acontecimentos ditosos.

Qualquer indivíduo que se envolveu, no passado próximo, em problemas e erros, certamente gerou também simpatias e agiu corretamente. Agrediu e infelicitou pessoas, no entanto, simultaneamente, entendeu e amou outras, produzindo vínculos de afeição e cordialidade. Ninguém há destituído de valores positivos e conexões emocionais generosas.

Mesmo quando os conflitos decorrem como efeitos reencarnatórios, que se manifestam como psicopatologias de angústia, de medo, de insegurança, sob o aguilhão do remorso de algo inexplicável, a conscientização do bem que se haja feito, e ainda se poderá fazer, produz um lenitivo que suaviza os conflitos, facultando a disposição sincera para reabilitar-se.

No exame dos insucessos, uma atitude deve prevalecer – a do autoperdão – por considerar-se que aquela era a maneira que caracterizava o estado de evolução no qual se encontrava, porquanto, se houvesse mais conquistas, ter-se-ia agido de forma diferente, sem atropelos nem desaires.

O autoperdão é uma necessidade para luarizar a culpa, o que não implica em acreditar haver agido corretamente, ou justificar a ação infeliz. Significa dar-se oportunidade de crescimento interior, de reparação dos prejuízos, de aceitação das próprias estruturas, que deverão ser fortalecidas. Graças a essa compreensão, torna-se mais fácil o perdão dos outros, sem discussão dos fatores que geraram o atrito, com imediato, natural olvido do incidente.

Logo depois, faz-se inadiável trabalhar a culpa, corrigir o ressentimento, caso se haja sido a vítima ou o algoz. Na primeira situação, considerar que as circunstâncias de então fomentaram o acontecimento e agora elas estão alteradas, muito diferentes, portanto, exigindo um novo comportamento, que se coroará de resultados bons. A simples mudança mental propicia uma visão diversa do fato, mais favorável e benéfica. Na segunda, por haver desencadeado conflitos e prejudicado, o reconhecimento do erro é o próximo passo para a recuperação pessoal e apaziguamento com o ofendido. Em se tratando de ação pretérita, remota, a disposição psicológica para a renovação do comportamento influencia a *Lei de Causa e Efeito*, que proporciona respostas emocionais gratificantes. Quando próximo esse passado, mediante as visualizações que possibilitam o encontro mental com o prejudicado, encarnado ou não, a apresentação do arrependimento e os propósitos de não repetir o incidente, com sincero afeto, são precioso instrumento para o equilíbrio.

O acontecido não pode ser mais evitado, no entanto, deve ser considerado, dele se retirando os melhores resultados, sem gerar novos agentes prejudiciais.

Um homem sábio, que foi violentamente abalroado por outro, na rua, antes de recuperar-se, sofreu grosseira reação verbal do antagonista, que ficou enraivecido. Mantendo-se tranquilo, na primeira pausa, disse-lhe: – Infelizmente não tenho tempo para analisar quem atropelou quem. No entanto, se foi o senhor quem se chocou contra mim, eu o desculpo, e se foi o contrário, peço-lhe desculpas. E seguiu adiante, deixando o violento envergonhado de si mesmo.

Seria ideal que a vítima compreendesse a situação e desculpasse o agressor, porém, se isso não ocorre, não é de importância capital. O essencial é o gesto daquele que se arrepende, que se reequilibra e resgata os prejuízos causados.

Muitas vezes, deseja-se retornar ao passado com a experiência do presente, na expectativa de que se não cometeria os mesmos erros. Isso talvez ocorresse, no entanto, é provável que, se possuísse o conhecimento e não dispusesse das reservas de forças morais, a pessoa não agiria corretamente.

Todo conhecimento bem vivido e analisado transforma-se em patrimônio de experiência valiosa, ensinando, quando negativo, a técnica de como não se deve agir em determinadas situações.

Lição anotada, aprendizagem garantida.

A técnica da visualização, com o objetivo de recuperação, deverá ser repetida com frequência até o momento em que desapareça o fator conflitante, preponderando a autoconfiança em relação aos comportamentos futuros para com o desafeto.

Torna-se relevante a conquista da segurança íntima, de forma que a conduta esteja orientada pela consciência, mantendo-se sempre vigilante em todos os momentos, particularmente nas ações. Esse comportamento tornar-se-á habitual, passando a integrar a personalidade que fruirá de harmonia pelo bom direcionamento aplicado à existência. Será uma forma de unificar o *ego* ao *Self*, permitindo que o *Eu profundo,* o Espírito, comande o corpo, controle as reações e automatismos, heranças que são da agressividade animal, dos instintos primários ainda em predomínio.

A marcha é longa e enriquecedora. Cada degrau conquistado aproxima o ser do patamar almejado, que o aguarda.

Incerteza do futuro

Em face dos substratos do passado, arquivados no subconsciente, quase sempre negativos, neurotizantes, a pessoa pressupõe que o seu será um futuro carregado de problemas, de desafios, exigindo-lhe continuar abraçado à cruz dos sofrimentos. Porque não desalojou dali os hóspedes indesejáveis da perturbação, as mensagens que capta em relação ao futuro são assinaladas por incertezas e preocupações.

Ninguém se pode evadir do processo de crescimento interior, e esse imperativo da evolução apresenta-se com dúvidas a respeito de como enfrentá-lo e que fazer enquanto

Autodescobrimento: uma busca interior

o aguarda. A atitude correta está em viver cada momento intensamente, porquanto, cada minuto que se acerca e passa é o futuro chegando e transformando-se em passado.

É um erro considerar como futuro o que se relaciona ao remoto, ao qual se atiram realizações que deveriam ser executadas agora, definindo circunstâncias e tempo. A soma dos segundos transforma-se em milênios. É mais exequível realizar-se em cada pequeno lapso de minuto do que aguardar a sucessão dos anos. Quando se deseja realmente fazer algo, estabelece-se horário e define-se ocasião. Essa ordem, registrada no subconsciente, faculta que se consume o programa estabelecido. Quando não se deseja inconscientemente fazê-lo, estatui-se: um dia... Na primeira oportunidade... Esse dia e essa oportunidade não existirão, porque não foram definidos. Assim também é esse futuro, não delimitado, vazio, ameaçador.

À medida que se conclui uma tarefa, outra se delineia e torna-se factível a sua realização.

Diante de vários compromissos indefinidos, os rumos se confundem e a capacidade psíquica de discernimento perde a escala de valores, que seleciona, pela importância, quais os que têm primazia para execução. Nessa inevitável balbúrdia, atropelam-se os significados de qualidade, passando a ter preferência os mais simples e insignificantes, enquanto os outros são atirados para um *oportunamente* que não se deseja que chegue. Não atendidos e registrados, dão curso à instabilidade emocional, a incertezas e preocupações.

Desse modo, será feito amanhã o que não seja possível realizar-se hoje, porém, sem angústia, sem remorso.

Um mestre, informado que lavrara um grande e arrasador incêndio numa floresta próxima, convidou os discípulos para que, juntos, fossem plantar cedros no terreno calcinado, após lavrá-lo.

Inquieto, um discípulo retrucou-lhe: – Por que plantar o cedro hoje, se ele demora dois mil anos para desenvolver-se e alcançar a plenitude?

Sem perturbar-se, o sábio respondeu-lhe: – Aqueles que foram queimados nunca nos informaram quem os houvera plantado, embora oferecessem sombra e vida sempre. Ademais, já que demoram tanto para atingir a exuberância, não percamos tempo, a fim de não lhes atrasarmos o desenvolvimento.

Jesus, o Psicoterapeuta ímpar, em excelente receita de paz, propôs: – *"Não andeis, pois, ansiosos pelo dia de amanhã; porque o dia de amanhã a si mesmo trará seu cuidado; ao dia bastam os seus próprios males."*[2]

Oxalá tenha-se em mente que a experiência resulta da vivência do fato, e que o mal é a tentativa incorreta de agir na busca do melhor. Assim, cada instante merece o investimento da atenção, dos cuidados que se pretende direcionar para as ocorrências do futuro. Agindo com precisão hoje, são eliminadas desde já, evitando-as mais tarde.

O desenho do planejamento futuro é realizado com o material que se está usando neste momento.

Gerando decisões salutares, tomando atitudes corretas e corrigindo as equivocadas, programa-se o porvir agradável, compensador. Para tanto, o cultivo dos pensamentos enobrecedores faz-se inadiável. É necessário pensar alto, a fim de colher resultado satisfatório. Quem pensa a mesma coisa, recebe sempre aquilo que já tem. Variar para melhor, é candidatar-se ao superior, ao não fruído.

---

[2] Mateus, 6: 34 (nota da autora espiritual).

Autodescobrimento: uma busca interior

Como decorrência da acomodação aos hábitos e ideias já *digitados* no subconsciente, a pessoa esconde suas aspirações e valores nobres nos conflitos a que se acostuma e nos quais se compraz, nos transtornos neuróticos, na insatisfação, que lhe constituem escusa para não lutar, permanecendo sem o autoauxílio, e transferindo para os demais a culpa do seu insucesso, da sua irresponsabilidade, da sua aceitação sem resistência.

A luta fortalece o caráter e capacita o ser para os contínuos desafios, que lhe facultam o crescimento interior. Essa realização é intransferível, como a sabedoria que se aprende, mas não se doa. Constituído de recursos valiosos, esses necessitam dos fatores que lhe propiciem desabrochar e crescer. Vivendo bem cada momento, em profundidade, o futuro torna-se natural, acolhedor, gratificante, porquanto será conforme os atos de ontem – em reencarnações passadas – e de hoje – na existência atual –, que alterará o mapeamento do amanhã.

Se, em vez disso, como mecanismo de fuga contra a renovação, a pessoa programa dores e desconforto, sem confiança nos acontecimentos porvindouros, certamente está desejando exatamente conforme receberá. Há uma fatalidade inevitável: a colheita dar-se-á de acordo com a sementeira. Não há violência, nem transmutação de espécimes, de valores.

Todo fator que possa desencadear *consciência de culpa*, no comportamento, necessita ser eliminado, substituído por outros, criadores de confiança e serenidade, sem sombras psicológicas que ocultem a realidade, o desenvolvimento dos valores internos.

Uma psicoterapia especial, entre outras, ressalta na fixação pela repetição de frases idealistas, de autossugestão otimista, de interiorização mediante a prece, de meditação no serviço de amor ao próximo, através do amor a si mesmo. Enquanto assim agir, o futuro se estará fazendo presente, e logo passado, sem qualquer insegurança ou incerteza maceradora, enriquecido pelas propostas agradáveis das perspectivas de êxito, tornadas realidade.

DESCONHECIMENTO DE SI MESMO

Aturdindo-se com as preocupações a que empresta importância demasiada – opinião dos outros, aparência, conquista das coisas externas, convívio social e disputas insignificantes –, a pessoa descuida-se de si mesma e permanece ignorante da sua realidade profunda, das suas potencialidades latentes.

Considerando, com uma óptica pessimista, que apenas a sua é uma existência trabalhosa e difícil, perde os parâmetros do equilíbrio para uma análise correta sobre os acontecimentos, descambando no abismo da autocompaixão, das depressões, da infelicidade.

A sua autoestima esmaece, vaticinando a ruína da jornada e não se esforçando para reverter a ordem dos pensamentos derrotistas, que vitaliza durante os largos períodos de ócio físico e mental.

A vida apresenta-se com as mesmas características para todos os seres vivos. Ocasiões são mais severas, circunstâncias surgem penosas, enfermidades se apresentam desgastantes, problemas caracterizam períodos que devem ser enfrentados com naturalidade e valor, como se fossem impostos a resgatar pela honra de existir.

Excetuando-se as conjunturas expiatórias da miséria socioeconômica, das enfermidades congênitas e degenerativas, dos comprometimentos físicos, mentais e morais decorrentes das reencarnações repletas de loucura, os acontecimentos aflitivos fazem-se experiências iluminativas para o crescimento interior. Essas provações constituem recursos propiciatórios para a evolução. Assim não ocorressem, e seria já a Terra o paraíso anelado, e a vida física se tornaria de natureza eterna. A sua fragilidade e impermanência, as transformações biológicas a que está sujeita atestam a limitação do seu curso e a finalidade educativa para o *Eu superior* que a organiza.

É necessário um exame profundo, sério, constante do Si, da sua constituição, dos objetivos que deve perseguir, dos meios a utilizar, de como encontrar os recursos para lográ-lo. Essa análise tem por meta a autoconscientização, mediante a qual se aplainam as arestas, e o curso do rio existencial desliza na direção do *mar* da paz. Para tanto, é imprescindível o autoexame dos comportamentos mentais, emocionais e físico-sociais.

Tudo começa na mente e aí estão as matrizes das próximas ações. O exercício do bem-pensar, eliminando as ideias perniciosas a que se está viciado, constitui passo decisivo para o autodescobrimento. Cada vez interrogar-se mais a respeito de quem é, e quais as possibilidades de que se pode utilizar para o desenvolvimento íntimo, significa um meio adequado para interpenetrar-se. Sistematicamente manter-se vigilante contra os hábitos prejudiciais da autocompaixão, da censura ao comportamento dos outros, da autopunição e autodesvalorização, da inveja e de outros componentes do grupo das paixões dissolventes e anestesiantes. Preencher os *lugares* que ficarão vagos com a eliminação desses sórdidos comparsas mentais, com a presença do altruísmo, da fraternidade, do autoamor.

Reconhecer-se fadado ao triunfo e avançar na sua busca, sem pieguismo ou presunção, torna-se a próxima etapa do programa de autodescobrimento. Insistentemente reagir aos pensamentos inquietadores, estabelecendo a confiança no Poder Criador, de Quem procede, e em si mesmo gerando harmonia e coragem para os enfrentamentos, certo de que está destinado à gloria estelar que alcançará a esforço pessoal.

Aquele que se conhece, sabe de quais recursos se podem utilizar para o desempenho das tarefas e funções que lhe cumpre executar, aceitando-as como parte do processo existencial no qual está inserido. Essa compreensão dá-lhe dignidade, enriquecendo-o de entusiasmo a cada conquista, como perspectiva da próxima vitória.

Se identifica fragilidade num ou noutro ângulo do caráter e da personalidade, direciona suas resistências morais nesse rumo e fortalece-se. Errando, não se lamenta, porquanto aprendeu como fazer noutro ensejo. Não anuindo ao desequilíbrio, igualmente não se culpa por ele, nem a ninguém, porque descobre o valor da aprendizagem que enceta. Acertando, não se jacta, pois sabe que longo é o caminho pela frente.

O autodescobrimento enseja humildade perante a vida, sem postura humilhante, porque faculta a irradiação do amor desde o centro do Si, consciente da sua realidade e origem divina.

9
VICIAÇÕES MENTAIS

INSATISFAÇÃO · INDIFERENÇA · PÂNICO
· MEDO DA MORTE

INSATISFAÇÃO

Há uma necessidade urgente de reprogramar-se a mente. Hábitos longamente mantidos, viciações sustentadas por largo prazo, acomodações psicológicas a acontecimentos e atitudes justificadas por mecanismos de evasão do *ego* tornam-se outra forma de natureza nos automatismos da própria natureza.

Quando a mente está pronta, parece que todas as coisas o estão igualmente, isto porque dela dependem o senso crítico, a avaliação, o discernimento. Enquanto se encontra *entorpecida* ou mal desenvolvida, não consegue abranger a finalidade existencial, e também se adapta ao habitual, automatizando-se.

À medida que se amplia o campo mental, mais fáceis se tornam as novas aquisições psíquicas, favorecendo a memória, que supera os lapsos, por liberar-se das cargas negativas que a obnubilam.

A autodepreciação é fator preponderante para a infelicidade pessoal e para o relacionamento com outras pessoas, em razão do desrespeito a si mesmo. Quem se subestima, supervaloriza os outros, fazendo confrontos entre si e os demais de forma inadequada, ou projeta a sua sombra, acreditando que são todos iguais, variando apenas na habilidade que aqueles possuem para mascarar-se. O seu é um critério de avaliação distorcido, doentio, sem parâmetros bem delineados.

Quando tal ocorre, pensa-se em viajar, mudar de trabalho, acabar o casamento ou casar-se, conforme o caso, variar os relacionamentos sociais... O problema, no entanto, não se encontra nos outros, mas no próprio indivíduo, nele enraizado. *Claramente* possui uma autoimagem incorreta, feita de autopiedade ou com autopunição, o que se transforma em uma lente defeituosa que altera a visão do mundo e das outras criaturas.

Para onde o ser se transfere, fugindo, leva-se consigo e reencontra-se, logo mais, no novo lugar, assim se acostume com a novidade.

O fundamental não é mudar de atividade profissional, alterar a vida conjugal e social... Talvez essas atitudes possam contribuir para um despertamento interior, que é difícil, mas o essencial é a coragem para enfrentar-se, despir-se e querer realmente modificar-se.

O tentame se coroará de êxito mediante uma reprogramação da mente, iniciando-a com a indispensável conceituação da autoimagem, reforçada com a disposição de não retroceder. Funcionará, a vontade, na forma de dever para consigo mesmo, de reestruturação do programa da vida, do redescobrimento do *Si* e da sua eternidade diante do Cosmo.

Diminuem, nesse momento, os gigantes íntimos ameaçadores, que se fazem pigmeus e se desintegram na sucessão da experiência renovadora.

Autodescobrimento: uma busca interior

Nessa fase de reprogramação mental, a pessoa descobre que todos são diferentes uns dos outros, com desafios parecidos, mas não iguais, em lutas contínuas, no entanto, específicas, e que a vitória alcançada por eles, em determinados combates não lhes impede nem lhes evita novos enfrentamentos.

Lentamente nascem os estímulos para avançar, as disposições para não ceder às tentações da acomodação, e a lucidez mental propicia a percepção das vantagens que advêm de cada conquista alcançada. Os problemas e dificuldades se tornam mais fáceis de ser resolvidos e ultrapassados, fazendo a vida mais agradável, não lhes dando maior importância. Os obstáculos, que antes pareciam intransponíveis, agora são contornáveis, e as pessoas adquirem outro valor, na sua grandeza como na sua pequenez. Desaparecem os privilegiados e os abandonados pela sorte, passando a ser compreendidos e tolerados como são, e não pela forma da apresentação.

A tolerância, que resulta da melhor identificação dos valores éticos e das conquistas espirituais, enseja maior respeito por si mesmo, permitindo-se os limites aos quais não se submete mais, sem reações inamistosas nem aquiescências injustificáveis.

A insatisfação decorre da ignorância, do desconhecimento do *Eu profundo* e das suas inesgotáveis possibilidades. Supondo-se, equivocadamente, que tudo está feito e terminado, a entrega a esse fatalismo gera saturação, desmotivando para novas conquistas.

Quanto mais a pessoa se autopenetra, mais se descobre e mais possibilidades tem de conhecer-se. Essa conquista leva ao infinito, porque vai até o *deus* interno que abre as portas ao entendimento do Criador.

A psicologia da religião começa na análise dos recursos de cada um: sua fé, sua dedicação, seus interesses espirituais, suas buscas e fugas, seus medos e conflitos...

Na programação da mente, saturando o subconsciente de forças positivas, de legados idealistas, de esperanças factíveis de ser conseguidas, da luz do amor, do perdão, do Bem, todos os resíduos de negativismo, de depreciação, de antagonismo devem ser eliminados, sem saudades, iniciando-se novo ciclo de experiências de equilíbrio.

As agressões exteriores, os choques sociais e emocionais, mesmo que recebidos, passarão por critérios novos de avaliação e serão compreendidos, retirando-se deles o que seja positivo e diluindo os efeitos perturbadores.

A mente, desacostumada aos novos compromissos, expressará lapsos, reavivará fixações, que são os naturais fenômenos de sobrevivência das ideias usuais. Não abastecida pela mesma vibração dos pensamentos anteriores se lhes desabituará, imprimindo as novas ordens recebidas e ampliando a área de entendimento.

A insatisfação, irmã gêmea do tédio, nesse campo mental programado, com muita atividade a executar, não encontra área para permanecer e desaparece. Somente através do esforço do próprio indivíduo que se sente saturado, descontente com a vida, é que o fenômeno da sua transformação se opera.

INDIFERENÇA

Nos estados depressivos a apatia se manifesta, não raro, dominando as paisagens emocionais da pessoa. Essa apatia impede a realização das atividades habituais, ma-

Autodescobrimento: uma busca interior

tando o interesse por quaisquer objetivos. É uma indiferença tormentosa, que isola, a pouco e pouco, o paciente do mundo objetivo, alienando-o.

Além dessa manifestação psicopatológica, há aquela que resulta da viciação mental em não se preocupar com as outras pessoas, nem com o lugar onde se encontra. Tão grave quanto a primeira, essa indiferença provém de vários conflitos, como as decepções em relação à própria existência, em demasiada valorização do secundário em detrimento do essencial, que é a própria vida e não aqueles que a utilizam egoisticamente, de forma infeliz, com desrespeito pelo seu próximo, pela sociedade.

Noutros casos, há a atitude egocêntrica, que remanesce da infância e não alcançou a maturidade psicológica na idade adulta, sentindo-se o ser desconsiderado, desamparado, sem chance de triunfar; o cansaço decorrente de tentativas malogradas de autoafirmação, de empreendimentos perdidos; o desamor, em razão de haver aplicado mal o sentimento, como troca de interesses ou vigência de paixões; o abandono de si mesmo pela falta de autoestima... Para esse tipo psicológico é mais fácil entregar-se à indiferença, numa postura fria de inimigo de todos, do que lutar contra as causas desse comportamento.

Vício mental profundamente alienador, arraigado nos derrotistas, a indiferença termina por *matar* os sentimentos, levando o paciente a patologias mais graves na sucessão do tempo.

Caracteriza também a personalidade esquizofrênica de muitos títeres e algozes da Humanidade, a insensibilidade que resulta da indiferença, quando praticam crimes, por mais hediondos sejam.

Inicia-se, às vezes, numa acomodação mental em relação aos acontecimentos, como mecanismo de defesa, para poupar-se a trabalho ou a preocupação, caracterizado num triste conceito: – *Deixa pra lá.*

Toda questão não resolvida, retorna complicada.

Ninguém se pode manter em indiferença no inevitável processo da evolução. A vida é movimento e o repouso traduz pobreza de percepção dos fenômenos em volta.

Terminada uma cerimônia religiosa em plena Natureza, fez-se um imenso silêncio que tomou conta de todos os presentes. Sensibilizado, um jovem disse ao seu pastor: – Nunca percebi tão grande e profundo silêncio. Ao que o outro respondeu: – Nunca havia ouvido toda a música das galáxias nas suas revoluções siderais...

Quando a indiferença começar a sinalizar as atividades emocionais, faz-se urgente interrompê-la, aplicar-lhe a terapia da mudança do centro de interesse emotivo, despertando outras áreas do sentimento, adormecidas ou virgens, a fim de poupar-se o indivíduo à sua soberania. Acostumando-se-lhe, inicia-se uma viciação mental mais difícil de ser corrigida, por ter um caráter anestesiante, tóxico, ao longo do tempo.

Se o estresse responde pela sua existência, em alguns casos, o relaxamento, acompanhado de novas propostas de vida, produz efeito salutar, que deve ser utilizado.

O Fluxo Divino da força da vida é incessante, e qualquer indiferença significa rebeldia aos códigos do movimento, da ação, proporcionando hipertrofia do ser e paralisia da alma.

Uma análise do próprio fracasso em qualquer campo redunda eficaz, para retirar proveitosa lição dele e levantar-se para novas tentativas.

Nas experiências retributivas da afetividade mal direcionada, das quais resulta a síndrome da indiferença, a escolha pelo amor sem recompensa, pelo bem sem gratidão, emula o indivíduo a sair do gelo interior para os primeiros ardores da emotividade e da autorrealização.

Nunca deixar que a indiferença se enraíze. E se, por acaso, crer que a própria vida não tem sentido nem significado, num gesto honroso de arrebentar algemas, deve experimentar dar-se ao próximo, a quem deseja viver, a quem, na paralisia e na enfermidade, busca uma quota mínima de alegria, de companheirismo, de afeto e de paz. Fazendo-o, esse indivíduo descobre que se encontra consigo mesmo no seu próximo ao doar-se, assim recuperando a razão e o objetivo para viver em atividade realizadora.

PÂNICO

No imenso painel dos distúrbios psicológicos, o medo avulta, predominando em muitos indivíduos e apresentando-se, quando na sua expressão patológica, em forma de *distúrbio de pânico*.

O medo, em si mesmo, não é negativo, assim se mostrando quando, irracionalmente, desequilibra a pessoa.

O desconhecido, pelas características de que se reveste, pode desencadear momentos de medo, o que também ocorre em relação ao futuro e sob determinadas circunstâncias, tornando-se, de certo modo, fator de preservação da vida, ampliação do instinto de autodefesa. Mal trabalhado na infância, por educação deficiente, o que poderia tornar-se útil, diminuindo os arroubos excessivos e a precipitação irrefletida, converte-se em perigoso adversário do equilíbrio do educando.

São comuns, nesse período, as ameaças e as chantagens afetivas: – *Se você não se alimentar, ou não dormir, ou não proceder bem, papai e mamãe não gostarão mais de você..., ou o bicho papão lhe pega, etc.* A criança, incapaz de *digerir* a informação, passa a ter medo de perder o amor, de ser devorada, perturbando a afetividade, que entorpece a naturalidade no seu processo de amadurecimento, tornando o adolescente inseguro e um adulto que não se sente credor de carinho, de respeito, de consideração. A deformação leva-o às barganhas sentimentais – conquistar mediante presentes materiais, bajulação, anulando a sua personalidade, procurando agradar o outro, diminuindo-se e supervalorizando o afeto que anela.

A pessoa é, e deve ser amada, assim como é. Naturalmente, todo o seu empenho deve ser direcionado para o crescimento interior, o desenvolvimento dos recursos que dignificam: não invejando quem lhe parece melhor – pois alcançará o mesmo patamar e outros mais elevados, se o desejar –, nem se magoando ante a agressividade dos que se encontram em níveis menores.

Por outro lado, em face das ameaças, o ser permanece tímido, procurando fazer-se *bonzinho,* não pela excelência das virtudes, mas por mecanismo de sobrevivência afetiva.

O medo, assim considerado, pode assumir estados incontroláveis, causando perturbações graves no comportamento.

Os fatores psicossociais, as pressões emocionais influem, igualmente, para tornar o indivíduo amedrontado, especialmente diante da liberação sexual, gerando temores injustificáveis a respeito do desempenho na masculinidade

Autodescobrimento: uma busca interior

ou na feminilidade, que propiciam conflitos psicológicos de insegurança, a se refletirem na área correspondente, com prejuízos muito sérios.

Bem canalizado, o *medo* se transforma em prudência, em equilíbrio, auxiliando a discernir qual o comportamento ético adequado, até o momento em que o amadurecimento emocional o substitui pela consciência responsável.

Confunde-se o pânico como expressão do medo, quando irrompe acompanhado de sensações físicas: disritmia cardíaca, sudorese, sufocação, colapso periférico produzindo algidez generalizada. Essa sensação de morte com opressão no peito e esvaecimento das energias que aparece subitamente, desencadeada sem aparente motivo, tem outras causas, raízes mais profundas.

Na anamnese do *distúrbio de pânico*, constata-se o fator genético com alta carga de preponderância e especialmente a presença da noradrenalina no sistema nervoso central. É, portanto, uma disfunção fisiológica. Predomina no sexo feminino, especialmente no período pré-catamenial, o que mostra haver a interferência de hormônios, sendo menor a incidência durante a gravidez.

Sem dúvida, a terapia psiquiátrica faz-se urgente, a fim de que determinadas substâncias químicas sejam administradas ao paciente, restabelecendo-lhe o equilíbrio fisiológico.

Invariavelmente atinge os indivíduos entre os vinte e os trinta e cinco anos, podendo surgir também em outras faixas etárias, desencadeado por fatores psicológicos, requerendo cuidadosa terapia correspondente.

Há, entretanto, síndromes de *distúrbio de pânico* que fogem ao esquema convencional. Aquelas que têm um componente paranormal, como decorrência de ações espirituais em processos lamentáveis de obsessão.

Agindo psiquicamente sobre a mente da vítima, o ser espiritual estabelece um intercâmbio parasitário, transmitindo-lhe telepaticamente clichês de aterradoras imagens que vão se fixando, até se tornarem cenas vivas, ameaçadoras, encontrando ressonância no inconsciente profundo, onde estão armazenadas as experiências reencarnatórias, que, desencadeadas, emergem, produzindo confusão mental até o momento em que o pânico irrompe incontrolável, generalizado. Dá-se, nesse momento, a *incorporação* do invasor do domicílio mental, que passa a controlar a conduta da vítima, que se lhe submete à indução cruel.

Cresce assustadoramente na sociedade atual essa psicopatologia mediúnica, que está requerendo sérios estudos e cuidadosas pesquisas.

As terapias de libertação têm a ver com a transformação moral do paciente, a orientação ao agente e a utilização dos recursos da meditação, da oração, da ação dignificadora e beneficente.

Quando a ingerência psíquica do agressor se faz prolongada, somatiza distúrbios fisiológicos que eliminam noradrenalina no sistema nervoso central do enfermo, requerendo, concomitantemente, a terapia especializada, já referida.

Mediante uma conduta saudável de respeito ao próximo e à vida, o indivíduo precata-se da interferência perniciosa dos seres espirituais perturbadores, adversários de existências passadas, que ainda se comprazem na ação perversa. Esse sítio que promovem, responde por inúmeros fenômenos de sofrimento entre os homens.

Autodescobrimento: uma busca interior

Não sendo a morte do soma o aniquilamento da vida, a essência que o vitaliza – o *Eu profundo* – prossegue com suas conquistas e limitações, grandezas e misérias. Como o intercâmbio decorre das afinidades morais e psíquicas, fácil é constatarem-se as ocorrências que se banalizam.

O medo, portanto, necessita de canalização adequada, e o *distúrbio do pânico*, examinada a sua gênese, merece os cuidados competentes, sendo passíveis de recuperação ambos os fenômenos psicológicos viciosos, a que o indivíduo se adapta, mesmo sofrendo.

MEDO DA MORTE

O medo da morte resulta do *instinto de conservação*, que trabalha em favor da manutenção da vida.

A vida, no entanto, são todos os acontecimentos existenciais que ocorrem durante a reencarnação – no corpo – como fora dele – no Espírito.

O desconhecimento da imortalidade, as informações fragmentárias, as lendas e fantasias, os *mistérios*, a ignorância, *vestiram* a morte de inusitadas e irreais expressões, que não correspondem à realidade. O fenômeno da morte diz respeito ao fatalismo biológico das transformações moleculares do corpo. Com o desaparecimento da forma, suspeitou-se que haveria o aniquilamento da essência, como se essa fosse derivada da matéria e não a sua responsável.

Para atenuar-se o desconhecimento, compuseram-se os funerais, as cerimônias e ritos fúnebres, ocultando a face inevitável da legitimidade imortal. Esses recursos são valiosos para os familiares, parentes e amigos que se desobrigam das responsabilidades humanas, na Terra, e dos deveres afetivos para com os que são desalojados do corpo. Para o Espírito somente valem os sentimentos, as preces e vibrações de autêntica afeição e honesta intercessão, especialmente os próprios pensamentos e atos mantidos durante a experiência carnal.

Em outras circunstâncias, porque a fantasia concebeu o Divino Poder com sentimentos arbitrários e apaixonados, que perdoa e pune irremissivelmente, as consciências culpadas temem-lhe o encontro, quando seriam duramente castigadas, elaborando, inconscientemente, mecanismos de evasão.

Às vezes se torna tão grave o medo da morte que portadores de transtornos psicológicos matam-se para não aguardarem a morte, em terrível atitude paradoxal.

Não houvesse a morte física, e o sentido da vida desapareceria, assim como a finalidade da luta, da conquista de valores e do desenvolvimento intelecto-moral do ser.

Analisando-se a sobrevivência – fenômeno natural e consequência da vida – a existência terrestre adquire significado e a dimensão de tempo, um grande valor.

Por ignorar-se quando ocorrerá a fatalidade orgânica, todo minuto e cada ação constituem admiráveis bênçãos e devem ser utilizados com sabedoria e propriedade, vivendo-os intensamente.

A compreensão da vida como um todo, feito de etapas, estimula a conquista dos patamares do progresso, ainda mais pela sua marcha ascensional. Fosse limitada ao período berço – túmulo, todos os labores perderiam o seu conteúdo ético e os esforços esvair-se-iam na consumpção do nada.

Considerando a energia psíquica valiosa e atuante, a mente, desatrelada do cérebro, prossegue independente dele, e a vida estua.

Autodescobrimento: uma busca interior

Desse modo, enfrentando-se com equilíbrio o conceito da sobrevivência, a morte desaparece e o medo que possa inspirar transforma-se em emulação para enfrentá-la com uma atitude psicológica saudável e rica de motivações, quando ocorrer naturalmente.

Vício mental arraigado, o *medo do fim* converte-se em esperança de um novo princípio.

10
CONTEÚDOS PERTURBADORES

A RAIVA • O RESSENTIMENTO • LAMENTAÇÃO • PERDA
PELA MORTE • AMARGURA

A RAIVA

Os conflitos psicológicos se instalam sempre nas pessoas imaturas, que da vida conhecem e valorizam apenas as sensações, desejando, em particular, as agradáveis, sem levar em consideração as outras, que resultam de desordens de variada natureza.

A condição humana propicia, por si mesma, a fragilidade, por decorrência da impermanência dos implementos físicos que revestem o ser, assim como dos diferentes níveis de consciência que são alcançados no processo da evolução. Como resultado, todos experimentam conflitos, que são choques de entendimento e de comportamento entre o que se quer e o que se é, entre o *ego* e o *Self*. Quando, porém, esses conflitos se fazem duradouros, enraizando-se no psiquismo e perturbando o procedimento, adquirem expressões patológicas que necessitam de terapias específicas para serem erradicados.

A raiva é um fator de frequentes conflitos, que aparece repentinamente, provocando altas descargas de adrenalina na corrente sanguínea, alterando o equilíbrio orgânico e, sobretudo, o emocional.

Ninguém deve envergonhar-se ou conflitar-se por ser vítima da raiva, fenômeno perfeitamente normal no trânsito humano. O que se deve evitar são: o escamoteamento dela, pela dissimulação, mantendo-a intacta; o desdobramento dos seus prejuízos, pelo remoer do fator que a gerou; a autocompaixão, por sentir-se injustiçado; o desejo de revide, mediante a agressividade ou acompanhando o deperecer, o sofrimento do antagonista.

Quando algo ou alguém se choca com o prazer, o bem-estar de outrem, ou afeta o seu lado agradável, desencandeia-lhe instantaneamente a chispa da raiva, que se pode apagar ou atear incêndio, dependendo da área que atinja. O ideal será permitir que a descarga voluptuosa e abrasadora tombe sobre material não inflamável, logo desaparecendo sem deixar vestígios.

A sensação da raiva atual tem as suas raízes em conflitos não *digeridos*, que foram soterrados no subconsciente desde a infância e ressurgem sempre que alguma vibração equivalente atinge o fulcro das lembranças arquivadas. Quando tal ocorre, ressumam, inconscientemente, todos os incidentes desagradáveis que estavam cobertos com a leve camada de cinza do esquecimento, no entanto, vivos.

A raiva instala-se com facilidade nas pessoas que perderam a autoestima e se comprazem no cuidado pela imagem que projetam e não pelo valor de si mesmas. Nesses casos, a insegurança interior faculta a irascibilidade e vitaliza a dependência do apoio alheio. Instável, porque em conflito, não racionaliza as ocorrências desagradáveis, preferindo rea-

Autodescobrimento: uma busca interior

gir – lançamento de uma cortina de fumaça para ocultar a sua deficiência – a agir, afirmando a sua autenticidade.

Toda vez que a raiva é submetida à pressão e não *digerida*, produz danos no organismo físico e no emocional. No físico, mediante distúrbios do sistema vago-simpático, tais como indigestão, diarreia, acidez, disritmia, inapetência ou glutoneria – como autopunição, etc. No emocional, nervosismo, amargura, ansiedade, depressão...

Muitas raivas que são *ingeridas* a contragosto e não eliminadas desde a infância, em razão de métodos castradores da educação, ou agressividade do grupo social, ou necessidades socioeconômicas, podem desencadear tumores malignos e outros de graves efeitos no organismo, alterando a conduta por completo.

O Poder Supremo criou a vida como bênção e o ser para fruí-la. Nas Leis Soberanas não existe um só item punitivo ou gerador de violência, tudo contribuindo para a harmonia geral, inclusive as ocorrências que parecem desconcertantes.

Diante da raiva, é necessária a aplicação do antídoto equivalente para dela liberar-se. Muitas técnicas do Rolfismo, da Psicologia, merecem ser utilizadas, de forma que não se transforme em ressentimento, por ficar arquivada intacta à espera do desforço. Não adiantam o perdão externo e a aparência, mas a sua eliminação, assim como dos seus efeitos.

Quando Jesus propôs o *perdão das ofensas,* Ele se referiu ao *esquecimento* delas, isto é, à sua diluição na água lustral do amor.

Partindo-se do princípio pelo qual se considere o ofensor alguém que está de mal consigo mesmo ou enfermo sem dar-se conta, o conteúdo da raiva diminui e até desaparece, graças à racionalização da ofensa.

Quando a raiva se deriva de uma doença, de um prejuízo financeiro, da traição de um amigo, da perda de um emprego por motivo irrelevante, de algo mais profundo e imaterial, a resignação não impede que se lhe dê expansão para, logo após, eliminá-la. Chorar, considerar a ocorrência injusta, descarregar a emoção do *fracasso, gastar* a energia em uma corrida ou num trabalho físico estafante, projetar a imagem do ofensor, quando for o caso, em um espelho, *elucidando a raiva até diluí-la,* são admiráveis recursos, dentre outros, para anular os seus efeitos danosos.

A meditação deve ser buscada também, para auxiliar na análise das origens do acontecimento, constatando se teria sido o responsável pela sua vigência e, ao confirmá-lo, evitar a autopiedade, contrapondo a lógica e o *direito* de errar, mas não a permissão de ficar no engodo. A prece de compaixão pelo ofensor e de autofortalecimento possui o miraculoso condão de diluir as vibrações da raiva, erradicando-as.

As ondas mentais perturbadoras da raiva sobre as células afeta-as e a inconsciente necessidade de autopunição pelo acontecimento facilita-lhes a degenerescência. Assim, ter raiva é sintoma de ser sensível, e bem canalizá-la, até a sua diluição, é característica de ser humano lúcido e saudável.

A raiva obnubila a razão e precipita o ser em profundos fossos da alucinação.

Quando ofendido, o indivíduo deve expressar os seus sentimentos ao agressor, aos amigos, sem queixa, sem mágoa, demonstrando ser normal e necessitado de respeito, de consideração como todas as demais pessoas. Nunca se permitir a falsa postura de humildade, fingindo santificação antes de ter alcançado a plena humanização. Quando se parece sem ser, transita-se por larga faixa de conflitos, inclusive o de inferioridade, avançando-se para os estados depressivos.

Não se deve facultar a autodesvalorização, apontando os próprios itens negativos ou apresentando relatos autodepreciativos, para agradar aos demais ou fazê-los rir...

Humildade não é negação de valores, nem subestima por si próprio, fazendo-se caricaturas pejorativas da sua realidade. Ser filho de Deus, encontrar-se em experiência evolutiva, poder discernir, entre outros logros, constituem bênçãos que não podem ser desprezadas.

Jesus, o Homem humilde por excelência, jamais se escusou. Submeteu-se aos fariseus, aos dominadores transitórios e seus fâmulos...

Respeitar-se e amar-se são, por fim, os melhores recursos para enfrentar a raiva. Retê-la, nunca! Sem revides, nem mágoas.

O RESSENTIMENTO

A raiva não extravasada ou liberada no mesmo nível da agressão recebida torna-se cruel adversário do indivíduo, tomando a forma hostil de ressentimento.

Herança das experiências mal suportadas, o ressentimento inconsciente encontra-se encravado no cerne do ser, ramificando-se em expressões variadas e da mesma qualidade perturbadora. Ressuma sempre na condição de melancolia ou como frustração e desinteresse pela existência física, em mecanismo de culpa que não logra superar.

O ressentido agasalha sentimentos de antipatia, que se convertem em animosidade crescente, sempre cultivada com satisfação, à medida que lhe concede área emocional para o desenvolvimento.

O ressentimento tisna a razão, perturba a óptica pela qual se observam os acontecimentos, enquistando-se como força destrutiva que, não conseguindo atingir aquele que lhe deu origem, fere o ser no qual se apoia.

Tumores de gênese desconhecida, transtornos neuróticos, distúrbios gástricos de etiologia ignorada, constituem somatização dos venenos do ressentimento, alcançando o metabolismo orgânico e interferindo na estrutura das células.

Tudo no Universo se encontra mergulhado em vibrações e ondas que procedem do Poder Criador. Em consequência, o equilíbrio vige na sintonia com a ordem, com os princípios da harmonia.

Cultivando-se a raiva e convertendo-a em ressentimento, este descarrega vibrações vigorosas na corrente energética mantenedora do equilíbrio, atingindo o *arquipélago* celular e interrompendo o fluxo normal das ondas que mantêm a interação psicofísica.

Desarmonizado o ciclo vital, facilmente ocorre a distonia da mitose, que funciona por automatismo, acelerando-lhe, a partir de então, o processo de multiplicação, surgindo as tumorações, as neoplasias, malignas ou não...

A mente é a grande mantenedora das forças existenciais.

Sob a ação de estímulos – otimistas ou tóxicos –, passa a exteriorizar os conteúdos equivalentes no comportamento emocional e físico.

É necessário vigilância e ação da vontade com real sentimento de humildade – que é virtude especial –, para converter o ressentimento em compreensão e tolerância.

Autodescobrimento: uma busca interior

Cada pessoa é conforme suas estruturas psicológicas. Desejá-las diferentes, significa ignorar as próprias possibilidades.

Todos os indivíduos se enganam, agem incorretamente e, às vezes, inspiram reações inamistosas, como efeito do nível de evolução no qual estagiam.

Nem sempre ocorrem reciprocidades, quando da emissão de ondas mentais na área da simpatia, o que não se deve converter em atitude de animosidade por suspeição, por mecanismos de agressividade, gerando antipatia.

O ressentimento é fruto também da ausência de autoamor, projeção inconsciente da *sombra* psicológica dos conflitos de cada qual.

À medida que se desenvolvem os sentimentos de segurança pessoal, de harmonia interior e de autoestima, desaparece o ressentimento, por não encontrar apoio nos alicerces do subconsciente do ser.

Quando alguém se encontra ressentido com a má sorte, com os insucessos profissionais, afetivos e sociais, deve adquirir consciência das imensas possibilidades que lhe estão ao alcance e recomeçar as experiências que não obtiveram êxito, desarmado do pessimismo como do sentimento de culpa.

Todo processo de conquista passa por diferentes estágios de erro e de acerto, de insucesso e de vitória.

Desse modo, o conflito do ressentimento pode ser superado pelo exercício da autovalorização, do sentido de utilidade à vida, de conscientização do bem.

Ressentir-se diante de alguém perturbador, ou de algo desequilibrante, pode ser considerado como reação emocional imprevista que ocorre, susceptível, porém, de liberação, de rápida diluição nos painéis do sentimento atormentado.

Se alguém se sente atingido por uma injustiça ou agressão, por uma onda perturbadora ou inamistosa, de imediato corrija a sintonia mental e mude a faixa do pensamento. Quando ressentido, não se deve constranger por chorar, reclamar, descarregar a tensão em algum trabalho, para logo retornar ao estado precedente, o de paz.

Humano é todo indivíduo que se considera capaz de errar, de magoar-se, mas também de erguer-se, saindo do paul sem as marcas da passagem pelo terreno pantanoso e infeliz.

LAMENTAÇÃO

Entre os hábitos negativos que se arraigam nas personalidades conflitáveis e inseguras, a lamentação ocupa um lugar de destaque. *Vício* perturbador, deve ser combatido com a lucidez da razão, em face da não justificativa dos argumentos em que se apoia.

Essas pessoas atormentadas, que se deixam arrastar pelos temores, normalmente buscam alívio em fugas espetaculosas pelas drogas aditivas, pelo fumo, pelo álcool, ou buscam os jogos de azar, a que se apegam em pugnas intérminas quão infelizes. Quando não o fazem, dessa forma, ou simultaneamente, atiram-se às queixas e lamentações, assim exteriorizando as tensões geradas pelas altas cargas de amargura e ressentimento que guardam, sem o esforço por se liberarem desses tóxicos destrutivos, que mais se avolumam, quanto mais são cultivados.

Dotadas de autocompaixão injustificável, à qual apoiam a preguiça física e mental, para não saírem da situação embaraçosa e negativa, consideram-se sempre vítimas da família, do grupo social, das leis e dos governos..., ou do destino. No entanto, poderiam ser saudáveis e ditosas, caso se resolvessem por adotar o *vício* do otimismo.

Ninguém alcança patamares superiores sem o empenho para conquistar os mais baixos, aqueles de difícil acesso. Vencida uma etapa, outra surge, convidativa, como desafio a logros mais apreciáveis. Quem prefere a lamentação ao esforço, acreditando que as demais pessoas foram aquinhoadas sem mérito, opta pela situação de vítima de si mesma, em vez de triunfador sobre os próprios limites.

Patologicamente se compraz na situação insustentável, tornando a existência uma canga de elevado teor desequilibrante. A sua óptica é sombria, por considerar que tudo e todos conspiram contra sua paz e felicidade.

Saísse da concha da autocompaixão, e se deslumbraria com o Sol e a Natureza, convidando ao banquete da alegria.

Preenchesse os vazios espaços mentais com preocupações positivas, recheadas de ações que favorecem o progresso, e respiraria o clima do otimismo, estimulado ao autocrescimento, fruindo as dádivas do bem-estar existencial.

A lamentação como a queixa são morbo pestilento de fácil contágio, pelos vapores e vibrações tóxicas que esparzem.

A saúde mental exige esforço pessoal, que é intransferível, caracterizado pelo real desejo do equilíbrio. Uma decisiva disposição para o autoencontro e o empenho para consegui-lo são os instrumentos hábeis para o tentame, que se coroará de êxito. Toda empresa para alcançar metas impõe trabalho que não cessa. O empreendimento da autovalorização, com a consequente conquista de si mesmo, é de largo percurso, e sua gratificação se alcança nas diferentes etapas do processo de libertação dos vícios e acomodações habituais.

A vida é rica de convites ao progresso e à responsabilidade, em iguais condições para os indivíduos. Mesmo aqueles que ora se apresentam limitados ou aparentemente impedidos não se localizam fora do processo, por estarem incursos nos imperativos da reencarnação, que alcança todos que se comprometeram com a ociosidade e a delinquência, convidando-os ao reequilíbrio, à reparação. Esse fluxo do ir e vir é inevitável até o momento da plenitude, que se atinge mediante a *consciência objetiva*, quando se consegue sintonizar em harmonia com a *Cósmica*.

Passo a passo, realização a realização, o ser libera os potenciais adormecidos, e com entusiasmo ascende moralmente, enquanto adquire os conhecimentos que o intelectualizam para entender as *Leis da Vida*.

A lamentação é, portanto, obstáculo voluntário que o indivíduo coloca no seu processo de evolução, retardando a marcha do progresso e abrindo espaço para situações perturbadoras e penosas que virão arrancá-lo, mais tarde, da inércia e da autocomiseração, porquanto ninguém pode impedir o crescimento para Deus, que é a fatalidade da vida.

PERDA PELA MORTE

Profunda e dilaceradora é a aflição que decorre da *perda* de pessoas queridas, mediante o fenômeno biológico da morte. Essa dor, no entanto, é decorrente, entre outros fatores, de atavismos psicológicos, filosóficos e religiosos, que não educaram o indivíduo a considerar natural, como o é, a ocorrência que faz parte do processo orgânico pelo qual a Vida se expressa.

Autodescobrimento: uma busca interior

A própria conceituação de morte como fim é frágil e insustentável, porque nada se aniquila, e os mortos não têm interrompido o fluxo existencial. Transferem-se de faixa vibratória, deslocam-se temporariamente, mas não se aniquilam. Continuam a viver, comunicam-se com aqueles que ficaram na Terra, estabelecem novos liames de intercâmbio, aguardam os afetos e recebem-nos, por sua vez, quando desencarnam.

Ademais, o próprio verbo perder, nessa conceituação, encontra-se totalmente deslocado. Pessoas não podem deixar de prosseguir, *perdendo-se,* no sentido de coisas que deixam os seus possuidores e desaparecem. Ninguém pertence a outrem, e somente se perde o que *não se tem...*

Assim, as dores acerbas, que acompanham a morte das pessoas queridas, possuem altas cargas de emoções desequilibradas que explodem extemporâneas, com caráter autopunitivo, não afetivo.

Às vezes, a pessoa não era atendida como merecia, enquanto no corpo, e, ao morrer, aqueles que se descobrem em falta, autossupliciam-se, fazendo quadros de revolta, desespero e depressão. Noutras ocasiões, projeções de conflitos retidos espocam, gerando maior soma de desequilíbrios. Na maioria das oportunidades, no entanto, são os sentimentos naturais de saudade, de ausência, de ternura que ferem aqueles que ficam, martirizando-os.

É justo que se sofra a dor da separação, que se chore a ausência, que se interrogue em silêncio como se encontrará na nova situação o ser amado. O desespero, no entanto, não se justifica, por não equacionar, nem preencher o vazio que permanece.

Extravasar a dor mediante as recordações felizes, orvalhadas de lágrimas, reviver episódios marcantes com ternura, repartir os haveres com os necessitados em sua memória, envolvê-los em orações e crescer intimamente, são recursos valiosos para a liberação das mágoas decorrentes da morte. Quase sempre se fazem interrogações ilógicas, nessas situações, como: – *Por que ele? Por que eu?* Ora, todos são mortais, nos equipamentos orgânicos, e o número de óbitos é expressivo, cada vez alcançando este ou aquele indivíduo, ou alguém do seu grupo social. Pela própria *Lei das Probabilidades* chega a vez de todos, um a um, ou coletivamente. É inevitável. A dor da separação física prolonga-se por largo período de tempo. A princípio é traumatizadora, mostrando-se mais pungente com o transcorrer dos dias. No entanto, *digerida* pela esperança do reencontro, da comunicação, e graças ao afeto preservado, torna-se luarizada, suavizando-se e conservando somente os sinais da gratidão por se haver fruído da presença querida.

Evitar, pois, a depressão e seus males, ante a morte de alguém afeiçoado, é prova de amor por quem partiu e não pode ser culpado de haver viajado, sem consulta prévia ou anuência, conduzido pela Vida ao retorno às origens, para onde todos seguirão.

AMARGURA

Outro aspecto perturbador no comportamento psicológico do indivíduo é a presença da amargura, esse agente de transtornos depressivos.

Autodescobrimento: uma busca interior

Pode situar-se em reminiscências inconscientes de reencarnações passadas, a causa da amargura, em forma de melancolia, saudade ou tristeza, ou pode encontrar-se na atual existência como efeito de traumas da infância, presença da imagem do pai ou da mãe dominadores, efeito das castrações pelo medo, da submissão imposta, de outros conflitos que remanescem como agentes que lhe são propiciadores.

A amargura deve ser racionalizada, a fim de ser diluída e sua vítima recuperar a beleza, a alegria de ser e de viver, tomando parte ativa nas realizações do meio social onde se encontra, para fortalecimento de valores e evolução.

Os exercícios frequentes de pensamentos otimistas com reflexão, caminhadas em bosques ou à beira-mar, auxílio fraterno em obras de ajuda social e moral, entre outros, são de excelente resultado para a liberação da amargura. Igualmente, a elaboração de programas de autoestima, a participação em labores com grupos de apoio tornam-se estimulantes para o restabelecimento da saúde emocional do indivíduo, livrando-o do azedume e das sequelas da amargura.

A criatura humana existe para amar, amar-se e ser amada. O amor é a vibração de Deus que perpassa em todas as coisas do Universo. Quem não está disposto a sair do labirinto do *ego*, que se compraz na amargura, dificilmente se ama, será amado ou amará, por preferir ser visto pela piedade e pela compaixão, negando-se, embora inconscientemente, ao amor.

O grande fanal da vida é a autorrealização, é o autoencontro, através dos quais se identifica com o seu próximo e Deus. Para se lograr o cometimento, quem esteja nas sombras da amargura, permita-se uma fresta por onde entre a luz da esperança e, ao banhar-se com a sua claridade, não lhe resistirá ao brilho, sendo vencido pela mensagem de que se faz portadora.

A amargura é vapor morbífico que se exterioriza do sentimento doentio e domina as paisagens da mente, assim como da emoção. Todo empenho para diluí-la é a proposta-desafio para quem pensa e anela por felicidade hoje e no futuro.

11
OS SENTIMENTOS: AMIGOS OU ADVERSÁRIOS?

O AMOR • OS SOFRIMENTOS • ESTAR E SER
• ABNEGAÇÃO E HUMILDADE

O AMOR

Os sentimentos são conquistas nobres do processo da evolução do ser. Desenvolvendo-se dos instintos, libertam-se dos atavismos fisiológicos automatistas para se transformarem em emoções que alcançam a beleza, a estesia, a essência das coisas e da vida, quando superiores, ou as expressões remanescentes do período primário, como a cólera, o ciúme, as paixões perturbadoras.

Na fase inicial do desenvolvimento, o ser possui as sensações em predomínio no comportamento, que o vinculam ao primitivismo, exteriorizando-se na forma de dor e prazer, de satisfação e de desgosto... As manifestações psicológicas somente a pouco e pouco se expressam, rompendo a cadeia das necessidades físicas para se apresentarem como emoções.

Nesse processo, o ser é prisioneiro dos desejos imediatos e grosseiros da sobrevivência, com *insight* de percepção da harmonia, do equilíbrio, das alegrias que não decorrem do estômago ou do sexo. Lentamente, à medida que supera o egocentrismo do seu estágio infantil, desabrocham-lhe os sentimentos de valores morais, de conquistas intelectuais, culturais, artísticas, idealísticas.

O largo trânsito pelos impulsos do instinto deixa condicionamentos que devem ser reprogramados, a fim de que as emoções superem as cargas dos desejos e do utilitarismo ancestrais.

O primeiro, e certamente o mais importante sentimento a romper o presídio dos instintos, é o amor. De começo, mediante a vinculação atávica com os genitores, os familiares, o grupo social que o protege, as pessoas que lhe propiciam o atendimento das necessidades fisiológicas.

Logo depois, embora o desenvolvimento se faça inevitável, apresenta-se egoístico, retributivo, ainda vinculado aos interesses em jogo.

Somente quando canalizado pela mente e pelo conhecimento, agiganta-se, constituindo-se objetivo do mecanismo existencial, capaz de se libertar dos efeitos rigorosos dos instintos.

Em face da própria historiografia, externa-se como desejo de posse, na ambição pessoal para a eleição do parceiro sexual, fraternal, amigo.

Em razão disso, confunde-se, ainda hoje, o amor com os jogos do sexo, em tormentosos conúbios, nos quais sobressaem as sensações que os entorpecem e exaurem com facilidade.

O amor é o alicerce mais vigoroso para a construção de uma personalidade sadia, por ser gerador de um comportamento equilibrado, por propiciar a satisfação estética das aspirações e porque emula ao desenvolvimento das faculdades de engrandecimento espiritual que dormem nos tecidos sutis do *Eu profundo.*

Autodescobrimento: uma busca interior

Se desperta paixões subalternas, como o ciúme, o azedume, a inveja, a ira, a insegurança que fomenta o medo, ainda se encontra no primarismo dos instintos em prevalência.

Somente quando é capaz de embelezar a existência, proporcionando vida psíquica e emocional enriquecedora, é que se faz legítimo, com os recursos que o libertam do *ego*. Predominando na fase da transição – do instinto para o sentimento –, o *ego* é o ditador que comanda as aspirações, que se convertem em conflitos, por direcionamento inadequado das forças íntimas.

Sendo um dínamo gerador de energia criativa e reparadora, o amor-desejo pode tornar-se, pela potencialidade que possui, instrumento sórdido de escravidão, de transtornos emocionais, de compromissos perturbadores.

A necessidade de controlá-lo, educando as emoções, é o passo decisivo para alcançar-lhe a meta felicitadora.

Toda vez que gera tormento de qualquer natureza, insatisfação e posse, prejudica aquele que o experimenta.

Para libertar-se dessa constrição faz-se imprescindível racionalizá-lo, descondicionando o subconsciente, retirando os estratos nele armazenados e substituindo-os por ideias otimistas, aspirações éticas.

Gerar pensamentos de autoconfiança e gravá-los pela repetição; estabelecer programas de engrandecimento moral e fixá-los; corrigir os hábitos viciosos de utilizar as pessoas como coisas, tendo-as como descartáveis; valorizar a experiência e vivenciar, evitando a autocompaixão, a subestima pessoal, que escondem um mecanismo de inveja em referência às pessoas felizes, constituem técnicas valiosas para chegar ao patamar das emoções gratificantes.

O amor é o grande bem a conquistar, em cujo empenho todos devem aplicar os mais valiosos recursos e esforços. Não obstante, a larga transição no instinto pode transformá-lo em adversário, pelos prejuízos que se originam quando se apresenta em desorganizada manifestação.

Possuidor de uma pluralidade de interesses, expande-se em relação à Natureza, ao próximo, a si mesmo e ao Poder Criador, abrangendo o Cosmo...

Quando alcança a plenitude, irradia-se em forma cocriadora; em intercâmbio com as energias divinas que mantêm o equilíbrio universal, o sentimento de amor cresce e sutiliza-se de tal forma que o Espírito se identifica plenamente com a Vida, fruindo a paz e a integração nela.

OS SOFRIMENTOS

Os sofrimentos são ocorrências naturais do processo evolutivo, constituindo desafios às resistências dos seres. Nas faixas primárias, nas quais predominam os instintos e as sensações, eles se manifestam em forma de agressivas dores físicas, em razão da ausência de percepção emocional para decodificá-los e atingir as áreas mais nobres do cérebro, igualmente limitado.

Desse modo, manifestam-se nas criaturas humanas, nos vários aspectos: físicos, morais, emocionais e espirituais. Quanto mais elevado o ser, tanto maior a sensibilidade de que é dotado, possuindo forças para transubstanciá-los e alterar-lhes o ciclo de dor, passando a ser metodologia de educação, de iluminação.

Inevitáveis, quando no campo físico, decorrem dos processos degenerativos da organização celular e fisiológica, sujeita aos mecanismos de incessantes transformações, como da invasão e agressão dos agentes microscópicos destrutivos.

No ser bruto, expressam-se em forma de desespero e alucinação, com altas crises de rebeldia. À medida que a sensibilidade se lhe acentua, não obstante a força de que se revestem, podem ser atenuados pela ação da mente sobre o corpo, gerando *endorfinas* que, na corrente sanguínea, anestesiando-os, diminuem-lhes a intensidade.

Os morais são mais profundos, abalam os sentimentos nobres, dilacerando as fibras íntimas e provocando incontida aflição. Impalpáveis, as suas causas permanecem vigorosas, minando as resistências e, não raro, afetando, por somatização, o corpo. Atuam nos sensíveis mecanismos das emoções, dando lugar a outros distúrbios, os de natureza psicológica. Somente uma forte compleição espiritual se lhes poderá opor, ensejando energias próprias para suportá-los e superá-los.

A canalização correta do pensamento, isto é, a racionalização deles e aceitação como processo transitório de evolução, torna-se-lhes a terapia mais eficiente, por propiciar renovação íntima e equilíbrio.

Os de natureza emocional, qual sucede com os demais, têm suas matrizes nas existências passadas, que modelam, nos complexos equipamentos do sistema nervoso, na organização sensorial, por intermédio da hereditariedade, a sensibilidade e as distonias que se exteriorizam como distúrbios psicológicos, psíquicos... Em face da anterioridade das suas origens, produzem aflições no grupo social, por motivo da alienação do paciente, agressivo ou deprimido, maníaco ou autista, inseguro ou perseguidor. Somem-se ao fator central, as ressonâncias psicossociais, socioeconômicas e as interferências obsessivas que darão lugar a quadros patológicos complexos e graves, sem que o enfermo possa contribuir com lucidez para a recuperação. Há exceções, quando as ocorrências permanecem sob relativo controle, facultando erradicação mais rápida.

Os de natureza espiritual têm a sua gênese total no pretérito, às vezes somadas às atitudes irrefletidas da atualidade. Invariavelmente trazem conexões com seres desencarnados em processos severos de deterioração da personalidade.

Em qualquer manifestação, os sofrimentos são efeitos do mecanismo evolutivo – desgaste dos implementos orgânicos –, da aprendizagem de novas experiências, da ascensão do *ego* para o *Self*. Enquanto o *ego* predominar em a natureza humana, maior soma deles se fará presente, em face da irreflexão, da imaturidade psicológica, do desajuste em relação aos valores da personalidade.

Os conflitos, que decorrem de alguns sofrimentos ou que levam a outros tipos de sofrimentos, no *ego* imaturo encontram mecanismos de evasão da realidade, dando surgimento a patologias especiais.

A pretexto de ascensão moral e espiritual são engendrados distúrbios masoquistas, fazendo crer que a eleição do sofrimento auxilia na *libertação da carne* – cilícios, jejuns injustificáveis, macerações, solidão, desprezo ao corpo, castrações, etc. –, refletindo, não a busca do Si, mas um prazer degenerado, perturbador. Outrossim, quando se impõem os mesmos métodos a outros seres, a pretexto de salvá-los, não há saúde mental nem espiritual na proposta, mas sim, sadismo cruel.

O amor lenifica a multidão de pecados, como acentuou Jesus, com a Sua psicoterapia positiva. Ele sofreu, não

Autodescobrimento: uma busca interior

por desejo próprio, mas para ensinar superação das dores, e, ao jejuar, preparou o organismo para bem suportar os testemunhos morais. Ele encontrava beleza e prazer nos *lírios do campo*, nas *aves do céu*, nas *redes e pérolas*, sendo a Sua mensagem um hino de louvor à vida, à saúde, ao amor. Jamais se reportou à busca do sofrimento como recurso de salvação. Esse acontece por efeito da conduta humana, inevitavelmente, não por escolha de cada um.

A vida são as expressões de grandiosa harmonia na variedade de todas as coisas.

O ser humano existe, fadado para a conquista estelar. A saúde plena e o não sofrimento são as metas que o aguardam no processo de conquista pelos longos caminhos de sua evolução.

A canalização da mente para o Bem – o ideal, o amor – é o antídoto para todos os sofrimentos, porquanto do pensamento para a ação medeia apenas o primeiro passo.

ESTAR E SER

Um conflito preponderante no comportamento das pessoas imaturas psicologicamente é o medo das críticas. Filho excedente da insegurança, esse fator negativo na conduta humana é responsável por vários dissabores, entre os quais o insucesso nos empreendimentos, ou mesmo a falta de estímulos para tentá-los.

Bloqueando-se, pelo injustificável receio das opiniões alheias, o indivíduo recua ante possibilidades enriquecedoras de crescimento interior, de realização, deixando de *ser* feliz para *estar* sob tormentos crucificadores. Como efeito, a sua é uma conduta confusa. Fugindo de suas dúvidas, torna-se crítico mordaz dos outros, num processo de transferência de valores internos; procura sempre agradar na presença e faz-se censor na ausência; insatisfeito, é rude com as pessoas que dele dependem e bajulador em relação aos que acredita superiores; oculta os sentimentos, a fim de poupar-se a comentários desagradáveis, apresentando-se dúbio e melífluo. As suas opiniões têm por meta atender a todos, concordando com ambos os litigantes, quando for o caso. Parece um diplomata hábil, não fossem os temores íntimos.

Seus sentimentos, que poderiam expressar-se, gratificando-se com eles nos confrontos naturais, no êxito ou no insucesso, permanecem-lhe como adversários que devem ser escondidos, sejam quais forem, a fim de não ser descoberta a sua personalidade.

Gosta de opinar em assuntos que desconhece, como uma compensação ao conflito, *estando* sempre no que parece, evitando assumir o que é.

Todos que transitam em experiências humanas, durante o seu curso *estão,* mas não *são* a soma das mesmas. Conscientizar-se de que se *é* o que se *está* constitui desequilíbrio comportamental. O que se *está,* deixa-se, passa; o que se *é,* permanece.

Pode-se nascer enfermo ou sadio, o que significaria *ser.* Não obstante, através de uma boa programação mental, o ser doente pode transformar-se em apenas *estar* por um período, sofrer um tipo de conjuntura e deficiência, *sendo* saudável. Da mesma forma o sadio, em face à desorientação de conduta mental, transfere para o *estar* com saúde, apesar das chuvas de ansiedade.

Os sentimentos merecem análise cuidadosa, para se fazerem positivos. Sob controle e direcionamento, as emo-

Autodescobrimento: uma busca interior

ções se tornam agentes de compensação, de alívio de tensões, de estímulos preciosos para as realizações plenificadoras.

A autocrítica sincera, os exercícios mentais encorajadores, as conversações edificantes, a naturalidade diante das censuras, proporcionam recursos valiosos para o descobrimento do Si, dos seus potenciais disponíveis e ainda não utilizados.

Uma plena conscientização de que todas as pessoas estão sob o exame de outras – que as criticam por inveja, por despeito, por preguiça mental, por espírito derrotista de competição, embora diversas o façam com sincero desejo de auxiliar, pelo direito de submeterem à prova o que se credencia ao conhecimento público –, é de grande utilidade.

Para ser objeto de crítica, basta destacar-se, sobressair, tornar-se um alvo. É confortador alguém ver-se sob petardos, significando haver rompido o escudo da mesmice, de igual a todos, do não chamar a atenção. É ser alguém, ser especial e até ser único.

Jamais se agradará a todos os indivíduos. Os padrões de preferência variam ao infinito, nas pessoas que constituem a Humanidade. Há uma diferença muito expressiva de óptica emocional, de interesses, de comportamentos, de aptidões, mesclados aos sentimentos nobres, como inferiores, que influem na análise de cada objeto, pessoa ou acontecimento.

Como se está visto, assim também se vê. Como se está analisado, da mesma forma se analisa. Essa diferente gama de observações no conjunto se organiza em um painel de comportamento geral.

Muito saudavelmente age aquele que está em permanente esforço para ser melhor, para conquistar novos patamares, reunindo os tesouros da autoiluminação. Esse não teme obstáculos, não receia os outros, nem se teme.

Renova-se, melhorando o grupo social e o mundo onde está, mas que não lhe pertence, não o detém, nem nele para. Segue adiante. O seu é o rumo do Infinito. Não se ofende, a ninguém magoa; não se limita, a outrem não obstaculiza; não desanima, aos demais não perturba. Está sempre vigilante com seus defeitos e ativo nas ações.

Psicologicamente, quando se *está* mal, tem-se a possibilidade de transferir-se para o bem-estar. Se, no entanto, se *é* mau, a luta para mudança de situação é gigantesca, demorada, até ocorrer uma transformação de profundidade. Quando se *está* bem, de maneira equivalente é preciso esforço para *ser* bom, permanecendo útil, agradável, produtivo.

Os pessimistas e frustrados asseveram que o mundo e a sociedade *são* maus, responsáveis pelas suas aflições e desditas, quando apenas *estão* enfermos, em razão daqueles que aqui se hospedam e os constituem, por enquanto *estarem* distônicos e fora dos compromissos, diante apenas de alguns que *são* atrasados, ignorantes e insensíveis. Com o esforço conjugado de todos, porém, ter-se-á uma vida que *é bênção* e uma Humanidade que *é boa*.

Abnegação e humildade

O amadurecimento psicológico conduz o homem à verdadeira humildade perante a vida, na condição de identificação das próprias possibilidades, assim como das inesgotáveis fontes do conhecimento a haurir. Percebe a pequenez diante da grandeza universal, destituído de conflitos, de consciência de culpa, de fugas do *ego*.

Autodescobrimento: uma busca interior

A visão intelectiva da realidade e a aquisição moral dos recursos interiores facultam-lhe a simplicidade de coração e o respeito cultural por todas as pessoas.

A sua lucidez trabalha pelo bem geral com naturalidade, levando-o à abnegação e mesmo ao sacrifício, quando necessário, sem exibicionismo ou arrogância. Percebe que a finalidade do ser existencial é a alegria de viver decorrente dos pensamentos e ações meritórios, o que o propele à autoestima e à autodescoberta constante, trabalhando-se sem fadiga nem decepção. Não para na faina a examinar imperfeições, porque elabora esquemas de incessante aprimoramento, com sede de novas conquistas que não cessam.

A abnegação o induz às ações sacrificiais, por mais pesadas e menos grandiosas, que executa sem pejo nem jactância.

Independem, a abnegação e a humildade, de convicções religiosas, embora possam estas influenciar-lhes a conquista, tornando-as acessíveis a todos os indivíduos que adquirem consciência de si.

De alta importância para o progresso da sociedade, essas conquistas psicológicas dignificam a criatura, e promovem o grupo social, humanizando-o cada vez mais.

Invariavelmente, quando não expressam evolução, ou delas não decorrem, são simulações dos temperamentos emocionais conflituosos, que as utilizam para mascarar a timidez, o medo, o complexo de inferioridade, a inveja... Porque se sentem frustrados nas conquistas humanas, nos desafios sociais, tais indivíduos ocultam-se na abnegação forçada, recheada de reclamações e exigências, fingindo-se mártires incompreendidos pelos que os cercam, perseguidos por quase todos, e ricos de recalques. São presunçosos na sua *abnegação* e ciosos dela, apresentando propostas e comportamentos extravagantes, exibicionistas. Ganham o Céu, dizem. Isto porque não têm valores morais para conquistar e desincumbir-se dos deveres da Terra. Essa é uma conduta psicológica irregular, alienadora.

Da mesma forma, decanta-se a humildade como forma de desprezo por si mesmo, de desestima, de reação social. Libertar-se de aparências e ser naturalmente humilde, como Jesus Cristo ou Gandhi, não é alienar-se ou ser agressivo contra as demais pessoas e apresentar-se descuidado, sem higiene, indiferente às conquistas do progresso. Quem assim se comporta, desvela-se como preguiçoso e não humilde, bem como aquele que aceita todos os caprichos que se lhe impõem, e embora pareça, não possui a humildade real, antes tem medo dos enfrentamentos, das lutas, sendo conivente com as coisas erradas por acomodação, por submissão ou por projeção do *ego* que se ufana de ser cordato, bom e compreensivo.

A humildade não frequenta os mesmos campos morais da conivência com o erro, com o mal, em silêncios comprometedores. Antes é ativa, combatente, decidida, sendo mais um estado interior do que uma apresentação externa.

A indiferença, não poucas vezes, assume a postura falsa de humildade, permanecendo fria ante os acontecimentos e alienando a criatura dos jogos humanos. É uma forma patológica de comportamento, que perturba a claridade do discernimento.

A abnegação nunca é triste, porque é terapêutica. Sua *medicação* mostra-se na jovialidade, na alegria de viver e na felicidade de ser útil. Ajudar, renunciando-se, é um estado de júbilo interior para quem o faz e não uma áspera provação, mesmo porque ela é oferecida, é espontânea e jamais

Autodescobrimento: uma busca interior

imposta. Não se pode nunca a outrem impor abnegação, que brota dos sentimentos mais elevados do ser.

Da mesma forma, a humildade é cativante, sem aparência. Sente-se-lhe o *perfume* primeiro, para poder-se vê-la depois, qual ocorre com as delicadas violetas... Quando se é humilde, logra-se a pureza com o desprezo pelo puritanismo; vive-se a sinceridade, sem a preocupação de agradar; confia-se no sucesso das realizações, mas não se lhes impõem as propostas. Tudo transcorre em uma psicosfera de harmonia e naturalidade.

Essas conquistas do sentimento são amigas do processo libertador do ser de seus atavismos, das suas heranças de natureza animal. Se os sofrimentos as acompanham, não as degradam, antes as aformoseiam, porque não se pode *estar* abnegado e humilde, mas se *é* uma e outra coisa, sempre igual em todas as situações. O amor legitima-as e irradia-se como alta realização plenificadora do sentimento são.

12

TRIUNFO SOBRE O *EGO*

INFÂNCIA PSICOLÓGICA • CONQUISTA DO SI
• LIBERTAÇÃO PESSOAL

INFÂNCIA PSICOLÓGICA

O desenvolvimento intelectual do ser nem sempre é acompanhado pelo de natureza emocional.

A conquista do conhecimento cultural faz-se com relativa facilidade, quando se é portador de equilíbrio mental, mediante o estudo, o exercício, as leituras. No entanto, o amadurecimento psicológico é mais complexo, exigindo contínua atividade moral e cuidadosa realização pessoal.

Muitos fatores contribuem para essa ocorrência, na generalidade dos fenômenos emocionais. Entre outros, destacamos os atavismos culturais e sociais, no que dizem respeito à infância e aos poucos direitos que lhe são concedidos durante a formação da personalidade da criança.

Rigidez no lar, como negligência na educação, geram, na sua psique, pavores e comportamentos esdrúxulos, que acompanharão até a idade adulta, tornando-a insegura, pusilânime, desorganizada, dependente...

Toda vez que esse adulto enfrenta desafios, fugirá deles ou procurará mecanismos escapistas para esconder os temores, enfermando ou considerando-se incapaz, deprimindo-se.

Noutras vezes, as reações que assumirá diante das lutas a que seja convocado, fazem-se caracterizar pelo ciúme, pela mágoa, pela raiva, pelo ressentimento, particularidades do ser infantil não desenvolvido, ainda imaturo.

Normalmente desamado, guarda a imagem da severidade com que foi educado no lar e torna-se ditatorial, indiferente, impiedoso. Reflete aí o comportamento ancestral, que os pais e familiares tiveram para com ele e que, agora, automaticamente demonstra, escondendo os próprios conflitos sob a máscara da dureza, da insensibilidade.

A *criança* insegura, que permanece no subconsciente do ser adulto, dele faz um infeliz, porque o impele a comportamentos ambivalentes, instáveis, ilógicos. No íntimo ele teme, e exterioriza agressividade; sente necessidade de carinho, e desvela raiva, ódio; precisa de apoio, de amparo, no entanto foge, isola-se... Sofre carência de afetividade, disfarçando-a mediante bem urdida crueldade; busca compreensão, mas prossegue agindo com inclemência.

Quase sempre esse adulto, que não amadureceu psicologicamente, sente-se deslocado do Si profundo e do meio social onde se encontra.

Para ocultar o desamor por si mesmo adorna-se de coisas que chamam a atenção, e busca prazeres que lhe não saciam a fome dos desejos. No fundo, odeia a própria debilidade de caráter, invejando os fortes, detestando aqueles que lhe parecem superiores, assim travando lutas íntimas intérminas, quais atormentados *davis* contra os *golias* das paixões internas, que não consegue vencer.

Identificada na infância, que não foi vivida com felicidade nem amor, a causa da sua insegurança, os resíduos daquele período persistem amargurando por toda a existência,

Autodescobrimento: uma busca interior

caso a pessoa não se resolva pela decisão de reencontrar-se e amar-se, enfrentando a sua *criança* interior e fazendo-a crescer, realizar-se.

Enquanto essa providência não for tomada, a inquietação infantil ressaltará em todos os seus atos, cada vez apresentando-se sob disfarce diferente.

A felicidade, o equilíbrio e a autorrealização merecem todo o investimento de esforço pessoal, de modo a erradicar esses fatores de perturbação que ficaram ignorados, porém continuam pulsantes e dominadores.

Costuma-se asseverar com certa realidade que, no íntimo, todos os indivíduos são crianças carentes de amparo, de ternura, de entendimento. Há razões subjacentes nessa afirmativa, graças à herança psicológica infantil da insatisfação e dos medos, da crueldade e da agressividade que ficaram estratificadas no subconsciente, sem libertação, sem conscientização da sua realidade como ser digno.

Atemorizada, a criança, pelas recompensas e pelos castigos, ao libertar-se da sujeição dos pais ou educadores severos, permanece presa às regalias como ao medo das punições divinas, perdendo a própria identidade, confundindo-se, vítima permanente de infundada consciência de culpa, quando não a tem obnubilada temporariamente pela presunção, pela prepotência.

Por melhor que aja, sempre se cobra mais, afirmando que se poderia haver desempenhado com perfeição e profundidade.

Quando se equivoca, perturba-se, deixando que a *criança interior* assuma o comando da sua conduta, passando a ter medo do correspondente castigo, do qual fica à espera, em conflito.

É indispensável que se faça uma revisão desses conteúdos psicológicos, enfrentando com amor a própria infância não superada, a fim de diluir as fixações, mediante afirmações novas e visualizações afáveis, amorosas, que se sobreponham às de natureza perturbadora, crescendo, a pouco e pouco, na emoção, até atingir o amadurecimento que lhe corresponda à idade real.

Grande número de conflitos, cujas raízes perduram no período infantil, cede lugar à segurança de comportamento, de afetividade, facultando o autoamor, bem como o amor ao próximo, certamente depois de realizar esse encontro com os temores ocultos, que não mais se justificam, deixando de ser fantasmas invencíveis...

Esse esforço bem-direcionado, graças ao autodescobrimento, pode ser considerado um renascimento psicológico na vitoriosa reencarnação, cuja meta é desenvolver os valores ínsitos no Espírito e reparar as opções que geraram provas e expiações na passada experiência carnal.

Até esse momento o *ego* era caprichoso, dominador, porque permanecia com mais vigor do que o *Self,* não se permitindo superar as paixões primárias e alucinantes. Prevalecia como fonte de autossustentação, escamoteando a inferioridade através de reações intempestivas, caprichosas, como efeito natural da má-formação do caráter psicológico.

A atração do *Self* enseja o arrebentar das algemas, no entanto a sua conquista é interior, enriquecida de alegria e de renúncias, sem medos, nem ambições sem significado real.

A reflexão em torno dos objetivos da existência física é imperativo relevante para o amadurecimento psicológico, fator indispensável para a harmonia do indivíduo que se abre ao Si profundo.

Com essa realização, os significados das ocorrências passam a ter profundidade, perdendo o caráter perturbador, afligente, egocêntrico...

Decorre dessa conquista, concomitantemente, admirável compreensão das limitações e fraquezas próprias, como das demais pessoas, que se tornam dignas de estesia e solidariedade, em face do desenvolvimento da consciência em nível superior.

Repartindo o sentimento latente de amor, o adulto psicológico recebe amor, e a *criança* íntima, acalmada, cede lugar ao ser desenvolvido, equilibrado, portanto saudável.

A harmonia emocional deve acompanhar a intelectual, e vice-versa, trabalhando pelo progresso espiritual na busca da bem-aventurança que a todos aguarda no término da jornada evolutiva, que é a meta.

Conquista do Si

Todo o empenho humano para um correto amadurecimento psicológico objetiva a conquista do Si, a harmonia do *Eu profundo* em relação à sua realidade, à compreensão do divino e do humano nele existentes, descobrindo a sua causalidade e entregando-se à fatalidade (de forma consciente) do processo de evolução, que não cessa.

Trata-se de um imenso programa de conquistas plenificadoras, que foram iniciadas no período de *consciência de sono,* passando pelos diversos níveis de progresso e autodescobrimento de forma gratificante e pacífica, sem qualquer tipo de violência.

À medida que vão sendo fixados os patamares a alcançar, mais amplas perspectivas de triunfo se dilatam no ser, que se identifica com a vida e alça-se aos valores mais expressivos que passa a descobrir e a ter necessidade de vivenciar.

O *ego* é produção do estado de consciência, portanto, transitório, impermanente.

Abandonando as regiões sombrias dos conflitos degenerativos, nos quais o ser se demora por largo tempo, eis que começa a fruir o bem-estar sem receio e a alegria sem inseguranças, libertado dos conturbadores prêmios e castigos referentes aos atos praticados a que estava condicionado pelas imposições sociais e religiosas.

O *ego*, nesse comenos, cede lugar a outras conquistas, que repartem júbilos enquanto compartem identificações realizadoras, e a ausência de angústias como de incertezas favorece a visão lúcida do sentido existencial da vida.

Nesse processo de crescimento, de descobertas valiosas, podem ocorrer vários desvios e insucessos psicológicos, como mecanismos de *saudosismo* dos dias de inquietação e incertezas sobre os recentes avanços, como fenômenos naturais para a fixação das novas e relevantes conquistas,

A larga adaptação no vale produz choques desagradáveis quando o ser se instala na montanha, até que logre aclimatar-se. Essa é uma ocorrência comum a todas as formas de vida, a todos os seres vivos.

A ânsia de crescimento não tem limite.

O desconhecimento dos potenciais que podem ser movimentados para o tentame e para a realização é que constitui impedimento para os indivíduos inábeis e imaturos psicologicamente.

Essa luta que o *ego* trava, no campo das paixões onde se movimenta, alimenta-o e vicia o ser, que se compraz nas imposições que se permite graças às sensações

Autodescobrimento: uma busca interior

fortes, recheadas de compensações imediatas, características do período primário da evolução.

Dessa forma, não se dá conta, imediatamente, das emoções luarizadoras, desacostumado às suas manifestações, adaptando-se ao psiquismo da mudança das planícies constritivas para os planaltos refazentes.

Empreendimento de alto significado para o ser inteligente, propõe esforço e decisão para eleger entre o que se tem e aquilo que se aspira, que pode ser alcançado, eliminando os condicionamentos inquietadores mediante a assimilação de novos, que os substituem, libertadores.

O ser humano é herdeiro da sua história antropológica, fixado nos atavismos das experiências vivenciadas durante as fases primevas do seu desenvolvimento. Por ser, igualmente, psicológico, desdobra todos os potenciais que possui em latência e arrebenta as amarras ancestrais, a fim de libertar o *Eu* adormecido, escravizado aos instintos.

Impõe-se, para o cometimento, todo um curso largo de realizações pessoais, íntimas, de análise e avaliação de conteúdos, para a eleição daqueles que são imprescindíveis à vitória, em detrimento dos demais, que se apresentam afligentes.

Disciplinando-se a mente e a vontade, compreendendo-se que a proposta da Vida é a marcha para a Unidade – sem perda de quaisquer valores conquistados –, o Si desenvolve-se, enquanto o *ego* desagrega-se.

Nas fases primeiras, esse *ego* desempenha papéis relevantes, tais: o da preservação da vida, dos direitos ao prazer (transitórios), do atendimento das necessidades (fisiológicas), dos valores pessoais. Infelizmente, fixa-se, constritor, e passa à condição de algoz, dominando as paisagens do ser e sombreando-as para permanecer em predomínio. Elastecendo-lhe a visão e apontando-lhe o Si, reage com violência e estertora-se à medida que perde espaço psicológico, até ser ultrapassado em vitória culminante.

É semelhante ao heroico triunfo dos *pândavas* sobre os *kauravas*, cuja história mística narra o *Mahabarata*, o incomparável poema da Índia, constituído por duzentos mil versos, dos quais apenas a metade é conhecida. Trata-se da luta entre *primos e parentes* outros no campo de batalha da consciência: as virtudes (poucas) e os vícios (muitos), em sucessivas pelejas até o momento da vitória dos primeiros.

O ser humano sempre buscou as cumeadas da sensibilidade altruística, conquistando o Espírito, nele real, mediante a superação dos implementos materiais que lhe servem de fator preponderante para o desenvolvimento dos valores preciosos que nele dormem – herança transcendente da sua origem divina, espiritual.

A libertação do *Eu profundo* ocorre à medida que se desenfeixa dos desejos – *raga* (as paixões) do conceito budista –, a fim de alcançar a realização interior.

Preocupado com a etapa terminal do processo da evolução e com profunda visão psicológica, Allan Kardec interrogou os mensageiros nobres que o assistiam na elaboração da Doutrina Espírita:

– O que fica sendo o Espírito depois de sua última reencarnação?

E eles responderam: – Espírito bem-aventurado; puro Espírito.

O Si profundo, pleno, é semelhante à transparência que o diamante alcança após toda a depuração transformadora que sofre no silêncio da sua sutilização molecular, li-

Autodescobrimento: uma busca interior

bertando-se de toda imperfeição interna por que passa e de toda a ganga que o reveste.

Essa conquista é o imenso desafio da evolução dos seres.

LIBERTAÇÃO PESSOAL

À semelhança de alguém que sobe uma montanha e passa a ter uma visão mais ampla dos horizontes – quanto mais altos, maior a conquista da sua paisagem –, a superação do *ego* permite uma identificação profunda com o Si, que se desvela, manifestando a sua procedência divina e arrebatadora.

Iniludivelmente, o ser, na sua estrutura real, é psiquismo puro, com imensos cabedais de possibilidades.

A imersão no corpo gera-lhe apegos injustificáveis como mecanismos de segurança, não obstante a transitoriedade dos implementos orgânicos.

O esquecimento ou embotamento da visão espiritual produz-lhe o bloqueio para as aspirações relevantes, retendo-o na ambição desmedida da conquista do prazer, por extensão, de tudo quanto culmina em sensações imediatas.

Durante a juventude, pensa em gozar, porque o corpo é forte e rico de hormônios; na maturidade prossegue com o rigoroso desejo de aproveitar as energias que atingem a plenitude; na velhice faz o quadro depressivo da amargura – por já não continuar desfrutando dos prazeres sensoriais, ou luta para manter um potencial de energias, que não mais retornam, sejam quais forem os recursos aplicados. Mesmo quando se lhes dilata a duração – a *criança interior* permanece viva, subconsciente, iludindo-se –, chega o momento do exaurimento, da interrupção pela morte, do enfrentamento da realidade.

A visão transpessoal conduz à continuação da Vida após a liberação do corpo. Sem nenhum vínculo com as concepções religiosas e doutrinárias de ontem como de hoje, propõe um ser imortal, cujas evidências se multiplicam nos painéis das suas investigações computadorizadas, apresentando uma preparação psicológica para o enfrentamento dessa realidade que será alcançada fatalmente.

Esse processo de desgaste orgânico inevitável é prenúncio da futura experiência imortalista, que propiciará a cada um o encontro com o que é, e não com o que tem e deixa, com o que pensa, e não com aquilo que gostaria de haver realizado.

Nesse momento, o Eu profundo irrompe, arrebentando as camadas do inconsciente onde se encontrava soterrado – caso não haja sido liberado de forma lúcida – e estabelece tormentosos conflitos na área do psiquismo ou no complexo espiritual de que se constitui – energia pensante que é.

Como os traumas e perturbações que avassalam a criatura procedem das experiências anteriores – na atual ou noutras reencarnações –, o despertar da consciência do Si, amanhã, decorrerá das formulações pensantes, condutas e ações presentes.

Em a Natureza todos os fenômenos e acontecimentos sucedem normalmente por encadeamento lógico, sem interrupção. As leis que regem a vida são trabalhadas no equilíbrio. Mesmo o caos, que se apresenta como desordem – por uma visão limitada –, faz parte da harmonia no conteúdo do equilíbrio geral.

A conquista do Si impõe-lhe ruptura de todas as amarras, ampliando-lhe as perspectivas existenciais e as realizações profundas.

Autodescobrimento: uma busca interior

Não se creia, porém, que nessa fase de libertação pessoal cesse o processo de busca. Quanto maior for a capacidade de entendimento e de desapego do ser, mais amplas perspectivas de conquistas se lhe desenham atraentes, preenchendo-lhe os espaços dominados e abertos a novas realizações.

A saída dos interesses objetivos enseja o infinito campo do mundo subjetivo, transcendente, a ser penetrada qual afirmava São Boaventura, o Doutor Seráfico, que influenciou muitos místicos medievais, ao anunciar que são três os olhos pelos quais se observa: o da carne, o da razão e o da contemplação. O primeiro enxerga o mundo material, exterior, as dimensões relativas do tempo e do espaço, os objetos, as coisas, as pessoas, preso às sensações imediatas; o segundo *vê* a lógica através da arte de filosofar, ampliando as percepções da mente; e o terceiro, que faculta penetrar no *mundo oculto,* da intuição, das realidades transcendentes, extrafísicas.

Essa proposta se ajusta à realidade do ser tridimensional da Codificação Espírita: a carne entra em contato com o mundo físico, o perispírito registra o mundo mental, extrassensorial, e o Espírito sintoniza e se alimenta com a estrutura da realidade causal, onde se originou e para onde retornará.

Assim, a visão carnal detecta alguns contornos do estado objetivo, enquanto que a da razão capta os detalhes que constituem a matéria (átomos, moléculas, partículas, entendendo-lhes o mecanismo) e a da contemplação é transmental, energética na sua plenitude.

Os imperativos da Tecnologia e da Ciência, e as exigências do *ego* obliteraram, no curso da História, a *visão contemplativa,* e muitas vezes bloquearam a da *razão,* detendo o ser apenas na da *carne.*

A libertação pessoal recupera a percepção profunda, por superação do *ego* e dilatação do *Self,* com o consequente triunfo do Espírito sobre a matéria, sem anular qualquer um dos *olhos,* facultando-lhes o direcionamento próprio que lhes seja peculiar, conforme a circunstância.

Com essa aquisição, as questões básicas da existência, que a Psicologia procura responder: *quem é o homem? De onde vem? Para onde vai?,* tornam-se factíveis de elucidação, na perfeita união das correntes psicológicas individualistas do Ocidente e espiritualistas do Oriente...

Nesse sentido, a Doutrina Espírita sintetiza ambas as visões psicológicas, interpretando os enigmas do ser e capacitando-o à superação do *ego,* na gloriosa conquista do *Eu profundo,* mediante a libertação pessoal das paixões perturbadoras, anestesiantes, escravizadoras.

Nasce então, nesse momento, o homem pleno, que ruma para o Infinito, *imagem e semelhança de Deus.*